Antiviraux à base de plantes

Renforcer la résilience contre les menaces virales avec des antiviraux à base de plantes

Angela Winston

Table des matières

Introduction

Aperçu détaillé des défis viraux d'aujourd'hui et de l'importance des antiviraux à base de plantes

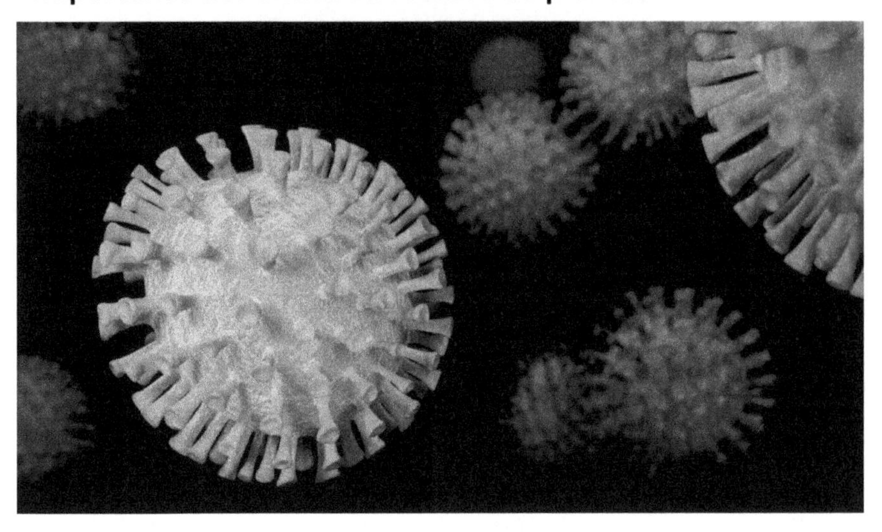

Depuis le début de l'histoire enregistrée, la possibilité de contracter une infection virale a été l'une des principales préoccupations de l'humanité. Depuis la découverte de nouveaux virus et la survenue de pandémies à l'échelle mondiale, cette probabilité n'a fait que croître. Au cours des dix dernières années, nous avons observé diverses épidémies de virus potentiellement mortels, dont Ebola, Zika et COVID-19. Ces épidémies ont suscité une vive inquiétude et causé des dommages économiques considérables, soulignant la nécessité de moyens complets pour prévenir et guérir les maladies infectieuses causées par les virus.

Bien qu'il y ait eu de grands progrès dans le traitement des infections virales par la médecine moderne, l'intérêt pour l'utilisation de thérapies naturelles telles que les antiviraux à base de plantes pour soutenir le système immunitaire et créer une résilience contre les menaces virales augmente. Cette section offre un aperçu détaillé des menaces virales actuelles et de l'importance des antiviraux à base de plantes dans la lutte contre les infections virales.

À l'échelle mondiale, l'humanité est actuellement confrontée à plusieurs menaces virales, dont certaines ont déjà causé d'importants dommages à la santé publique ainsi qu'à l'économie du monde entier. Voici quelques-unes des menaces virales les plus graves auxquelles le monde est actuellement confronté :

COVID-19 est un nouveau coronavirus découvert pour la première fois à Wuhan, en Chine, en décembre 2019. Il s'est rapidement répandu dans le monde entier, entraînant une pandémie à l'échelle mondiale. Il y a eu près de 200 millions de cas confirmés de COVID-19 et 4 millions de décès en août 2021. Cela a entraîné une morbidité et une mortalité graves. L'épidémie a également eu un énorme impact sur l'économie, plusieurs pays étant touchés par la récession et la perte d'emplois en conséquence directe.

La grippe, plus souvent appelée la grippe, est une maladie virale contagieuse qui touche des millions de personnes chaque année. La grippe peut entraîner une morbidité et une mortalité graves, en particulier chez les populations sensibles, notamment les personnes âgées et celles qui ont déjà des problèmes médicaux préexistants. Bien que des vaccins soient disponibles contre la grippe, le virus mute rapidement, ce qui rend difficile le développement de vaccins efficaces.

Le VIH/SIDA est une infection virale qui affecte le système immunitaire. Bien que des progrès substantiels aient été réalisés dans le traitement et la prévention du VIH/SIDA, le virus reste un problème de santé mondial important, notamment dans les pays à faible et moyen revenu.

Les hépatites B et C sont toutes deux des maladies infectieuses qui touchent le foie. En particulier chez les personnes qui ont déjà des maladies chroniques, ces virus peuvent entraîner une morbidité et une mortalité graves. Des vaccins sont disponibles contre l'hépatite B, mais il n'existe actuellement aucun traitement ni prévention pour l'hépatite C.

Les traitements traditionnels présentent plusieurs inconvénients, en particulier à la lumière des progrès substantiels réalisés dans le traitement des infections virales par la médecine contemporaine. La thérapie antivirale peut être excessivement coûteuse, peut entraîner des effets indésirables graves et peut conduire à l'évolution de virus résistants au traitement thérapeutique. De plus, il y a une préoccupation croissante concernant la mauvaise utilisation des médicaments antiviraux et des antibiotiques, qui pourrait entraîner l'évolution d'infections résistantes aux effets du traitement pharmacologique.

Soutenir le système immunitaire de manière naturelle et holistique tout en prévenant les infections virales peut être accompli grâce à l'utilisation d'antiviraux à base de plantes. Des qualités antivirales ont été observées dans les traitements traditionnels à base de plantes, qui ont une longue histoire d'utilisation et se sont révélés efficaces contre plusieurs maladies. En ce qui concerne la lutte contre les infections virales, l'utilisation d'antiviraux à base de plantes peut offrir plusieurs avantages, notamment les suivants :

Soutenir le système immunitaire de manière naturelle et holistique tout en prévenant les infections virales peut être accompli grâce à l'utilisation d'antiviraux à base de plantes. Contrairement aux médicaments pharmaceutiques classiques, les thérapies à base de plantes sont issues de sources naturelles et ont un potentiel plus faible d'effets indésirables. Ils peuvent également être utilisés en combinaison avec d'autres traitements naturels, tels que des ajustements alimentaires et du mode de vie, afin de fournir un soutien immunitaire encore plus élevé.

Il existe plusieurs plantes et herbes qui ont été identifiées comme ayant des effets antiviraux substantiels. Ces plantes médicinales possèdent des propriétés qui peuvent arrêter la reproduction des virus et stopper la propagation des maladies virales. Le sureau, l'échinacée, l'ail, la racine de réglisse et le gingembre font partie des antiviraux les plus puissants pouvant être obtenus à partir de plantes.

Par exemple, le sureau a été démontré comme ayant des propriétés antivirales significatives, notamment contre les virus de la grippe. L'échinacée est une autre herbe dont la recherche a révélé des propriétés antivirales et qui a le potentiel de traiter un large éventail de maladies virales. Les propriétés antivirales de l'ail sont connues depuis des années, mais elles ont été récemment confirmées par des recherches scientifiques. L'ail est utilisé depuis des millénaires pour prévenir et traiter les infections.

Le système immunitaire peut être renforcé par l'utilisation d'antiviraux à base de plantes, ce qui le rend plus efficace pour lutter contre les maladies virales. Certaines herbes, dont l'astragale, le ginseng et les champignons reishi, ont démontré qu'elles pouvaient renforcer le système immunitaire et augmenter sa capacité à combattre les infections virales. Les antiviraux à base de plantes peuvent renforcer le système immunitaire, ce qui aide à prévenir les infections virales et réduit l'intensité de leurs symptômes.

Les antiviraux à base de plantes sont souvent plus économiques que les médicaments antiviraux traditionnels. De nombreuses préparations à base de plantes peuvent être facilement réalisées à la maison avec des ingrédients courants, ce qui les rend accessibles à un plus grand nombre de personnes. Cela peut être particulièrement important dans les pays à faible et moyen revenu, où l'accès aux médicaments antiviraux traditionnels peut être limité.

Les antiviraux à base de plantes ont moins d'effets secondaires que les médicaments antiviraux traditionnels. Il est possible que certaines herbes entraînent de légers effets secondaires tels que des troubles stomacaux, mais en général, les effets indésirables causés par les herbes sont bien moins graves que ceux causés par les médicaments conventionnels. Pour cette raison, les remèdes à base de plantes sont une option plus sûre que les médicaments conventionnels pour les personnes allergiques aux médicaments traditionnels ou ayant des problèmes de santé préexistants.

En conclusion, le monde est actuellement confronté à plusieurs menaces virales, dont les plus importantes sont le COVID-19, la grippe, le VIH/SIDA, ainsi que les hépatites B et C. Bien qu'il y ait eu d'importants progrès dans le traitement des infections virales par la médecine moderne, il existe un intérêt croissant pour l'utilisation de thérapies naturelles telles que les antiviraux à base de plantes pour soutenir le système immunitaire et renforcer la résilience contre les menaces virales.

Les antiviraux à base de plantes offrent une méthode à la fois naturelle et holistique pour le traitement et la prévention des infections virales. Ils sont capables de renforcer le système immunitaire, possèdent de fortes caractéristiques antivirales et sont souvent moins chers que les médicaments antiviraux conventionnels. En intégrant des remèdes à base de plantes dans nos routines quotidiennes, nous pouvons soutenir nos systèmes immunitaires et renforcer notre résilience contre les menaces virales. Dans la lutte contre les infections virales, les antiviraux à base de plantes sont un ajout potentiellement utile à nos options de traitement ; cependant, ils ne devraient pas être utilisés à la place des médicaments antiviraux conventionnels.

Présentation du contenu et de l'objectif du livre

Tout au long de l'histoire de l'humanité, le monde a été confronté à plusieurs dangers viraux, et il semblerait que de nouveaux émergent chaque année. La pandémie de COVID-19 a démontré à quel point nous sommes vulnérables à ces dangers et à quel point il est crucial d'avoir un système immunitaire solide pour les repousser et nous protéger. Bien qu'il y ait eu d'importants progrès dans le traitement et la prévention des infections virales par la médecine contemporaine, il y a également un intérêt croissant pour l'utilisation de thérapies naturelles telles que les antiviraux à base de plantes pour soutenir le système immunitaire et créer une résilience contre les menaces virales. Cet ebook vise à fournir un aperçu des antiviraux à base de plantes et de la manière dont ils peuvent être utilisés pour renforcer la résilience contre les menaces virales.

Les antiviraux à base de plantes et leur rôle dans le processus d'établissement de la résilience contre les menaces virales sont discutés dans chacun des six chapitres du livre, qui sont séparés par des sections à l'intérieur de l'ebook.

Introduction

L'objectif du livre ainsi que de ses chapitres individuels sont résumés dans l'introduction. Il met en évidence les sujets qui seront abordés dans l'ebook et explique l'importance des antiviraux à base de plantes dans la lutte contre les dangers viraux.

Chapitre 1: Comprendre les Virus et le Système Immunitaire

Ce chapitre offre une introduction fondamentale aux virus ainsi qu'une explication de leur fonctionnement. Il explique comment les virus peuvent pénétrer dans le corps, comment ils se reproduisent et comment ils peuvent causer des maladies. De plus, le système immunitaire et son rôle dans la lutte contre les virus sont discutés dans ce chapitre. Il décrit les moyens par lesquels le système immunitaire détecte et réagit aux infections virales, ainsi que les moyens d'améliorer son efficacité pour mieux combattre les dangers viraux.

Chapitre 2: Antiviraux à Base de Plantes: Un Aperçu

Le chapitre 2 fournit un aperçu des mécanismes d'action des antiviraux à base de plantes. Il explique ce que sont les antiviraux à base de plantes, comment ils sont utilisés et pourquoi ils sont importants dans la lutte contre les menaces virales. Les différents types d'antiviraux à base de plantes, tels que les herbes, les racines et les champignons, ainsi que la manière dont ils peuvent être utilisés pour soutenir le système immunitaire, sont également abordés dans ce chapitre.

Chapitre 3: Les Meilleurs Antiviraux à Base de Plantes pour Renforcer la Résilience

Les antiviraux à base de plantes les plus efficaces pour renforcer la résistance aux infections virales sont discutés dans le chapitre 3. Il offre des informations approfondies sur chaque antiviral à base de plantes, y compris ses caractéristiques, le mécanisme par lequel il agit et les effets positifs qu'il a sur le système immunitaire. Ce chapitre aborde également les nombreuses méthodes de dosage et d'administration disponibles pour chaque antiviral à base de plantes, ainsi que les éventuels effets indésirables pouvant être causés par leur utilisation.

Chapitre 4: Recettes et Remèdes à Base de Plantes Antiviraux

Des recettes de tisanes antivirales à base de plantes, de teintures, de sirops et d'autres types de remèdes sont incluses dans le chapitre 4. En plus de cela, il offre des recommandations de dosage pour chaque traitement ainsi que des conseils pour la préparation et le stockage des remèdes à base de plantes. Le chapitre comprend des recettes pour des menaces virales spécifiques, ainsi que des remèdes généraux pour renforcer l'immunité.

Chapitre 5: Renforcer la Résilience avec des Changements de Mode de Vie et un Soutien Naturel

Les modifications du mode de vie qui peuvent renforcer le système immunitaire et rendre plus résistant aux agressions virales sont discutées dans le chapitre 5. Il offre des conseils sur la façon d'obtenir un meilleur sommeil, de mieux gérer le stress et d'intégrer l'exercice dans votre routine quotidienne. Le chapitre aborde également divers soutiens naturels pour le système immunitaire, dont les huiles essentielles et les compléments alimentaires.

Chapitre 6: Antiviraux à Base de Plantes pour des Menaces Virales Spécifiques

Les informations présentées dans le chapitre 6 donnent un aperçu des menaces virales spécifiques et des antiviraux à base de plantes les plus efficaces contre elles. Il fournit des informations sur la manière d'utiliser les antiviraux à base de plantes en combinaison avec d'autres thérapies, ainsi que des instructions de dosage et des effets indésirables potentiels associés à chacun.

La conclusion met en évidence les points principaux abordés dans l'ebook et souligne la nécessité de renforcer la résilience contre les menaces virales. Elle encourage les lecteurs à agir dans le sens de la construction d'un système immunitaire solide et de la défense contre les dangers viraux. La conclusion offre également une dernière note d'encouragement et d'espoir pour les lecteurs qui pourraient lutter contre des infections virales ou des craintes de menaces virales futures.

L'objectif de cet ebook est de donner aux lecteurs une compréhension complète des antiviraux à base de plantes et du rôle qu'ils jouent dans la construction de la résilience contre les agressions virales. Les lecteurs qui comprennent comment les virus fonctionnent et comment le système immunitaire réagit à eux seront mieux équipés pour se protéger et protéger les personnes qui leur sont chères contre les maladies virales.

En mettant l'accent sur les antiviraux à base de plantes, ce livre offre aux lecteurs une méthode de renforcement de leur immunité et de leur résilience qui est à la fois naturelle et holistique. Les lecteurs peuvent maintenir leur système immunitaire sans risquer les effets secondaires associés aux médicaments contemporains en utilisant des remèdes naturels.

Le livre discute également des changements de mode de vie ainsi que des soutiens naturels qui pourraient renforcer davantage le système immunitaire. En plus d'offrir des informations sur certains antiviraux à base de plantes, le livre inclut également ce contenu. En apportant ces changements, les lecteurs peuvent non seulement se protéger contre les menaces virales, mais aussi améliorer leur santé et leur bien-être général.

Antiviraux à Base de Plantes : Renforcer la résilience contre les menaces virales avec des antiviraux à base de plantes est, dans son ensemble, un guide complet sur l'utilisation de traitements naturels pour soutenir le système immunitaire et créer une résistance contre les infections virales. Les lecteurs peuvent prendre des mesures pour se protéger et protéger ceux qui leur sont chers contre les effets des infections virales en comprenant d'abord comment les virus fonctionnent et comment le système immunitaire réagit aux virus.

Chapitre I

Comprendre les Virus
et le Système Immunitaire

Introduction aux virus et à leur fonctionnement

Les micro-organismes appelés virus sont des agents infectieux qui peuvent causer diverses maladies chez les humains et d'autres organismes vivants. Les virus sont minuscules. Le matériel génétique, qui peut être soit de l'ADN soit de l'ARN, est entouré d'une enveloppe protéique dans leur structure. Les virus ne peuvent se reproduire que à l'intérieur de cellules vivantes et, pour que cela se produise, ils ont besoin d'une cellule hôte. Quand il s'agit de prévenir et de traiter les infections virales, une compréhension solide de la composition et du comportement des virus est absolument nécessaire.

Les virus peuvent varier en taille de 20 à 300 nanomètres, ce qui démontre leur petite taille. Ils ont une structure simple composée de matériel génétique, soit de l'ADN soit de l'ARN, et d'une enveloppe protéique appelée capside. En plus de la capside, certains virus possèdent une enveloppe lipidique qui l'entoure.

La capside est construite à partir de sous-unités protéiques récurrentes appelées capsomères. La capside est nécessaire à la réplication virale car elle protège le matériel génétique et l'empêche d'être endommagé. Dans le cas où elle est présente, l'enveloppe lipidique est générée à partir de la membrane de la cellule hôte et contient des protéines essentielles pour l'attachement et l'entrée dans les cellules hôtes.

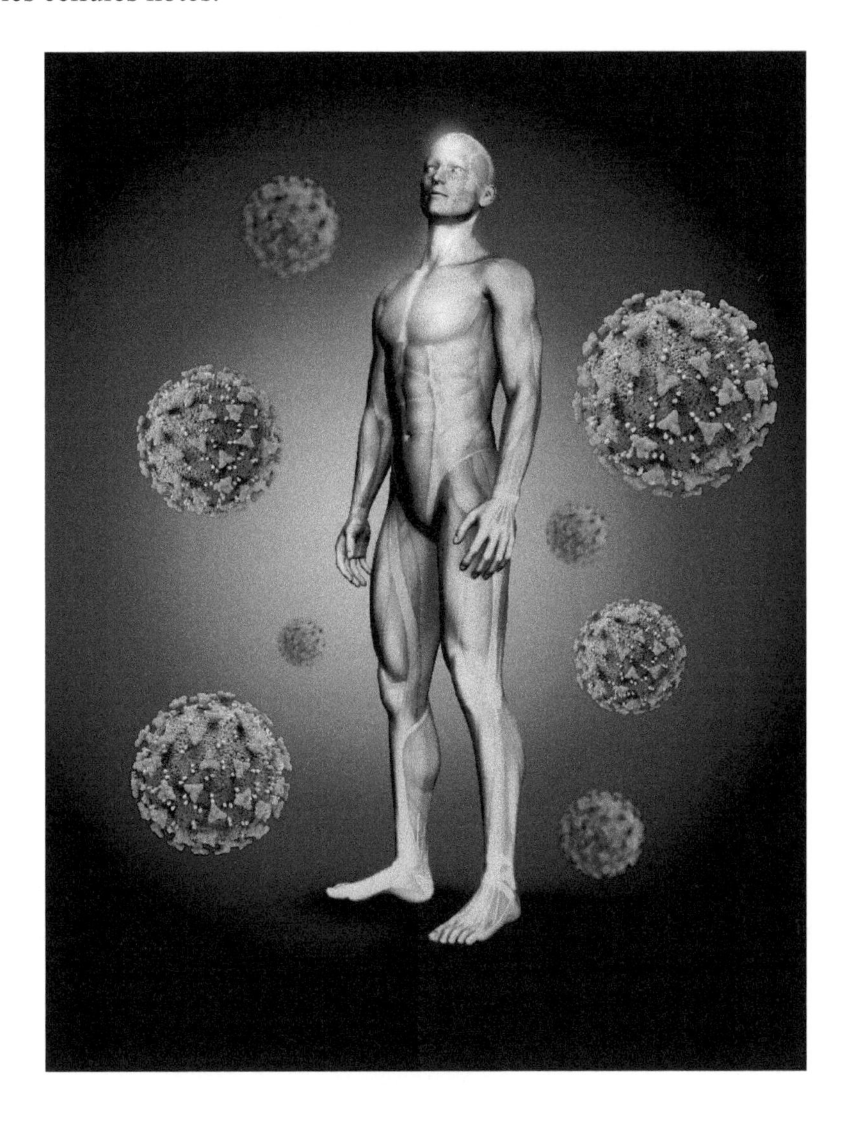

L'attachement à la cellule hôte, l'entrée dans la cellule hôte, la réplication à l'intérieur de la cellule hôte, l'assemblage à l'extérieur de la cellule hôte et la libération de la cellule hôte sont les étapes qui composent le cycle de vie des virus. Voici une liste des étapes impliquées dans le cycle de vie d'un virus :

L'attachement du virus à une cellule hôte est la première étape du cycle de vie d'un virus. En général, cela se fait par la formation de contacts entre les protéines de surface virales et les récepteurs présents sur les cellules hôtes. Le processus d'attachement est crucial pour déterminer la gamme d'hôtes d'un virus, c'est-à-dire les types de cellules et d'organismes que le virus peut infecter. Il existe de nombreuses variétés de virus, chacune pouvant se fixer à un récepteur particulier situé à la surface de sa cellule hôte.

Une fois attaché, le virus pénètre dans la cellule hôte. Les moyens par lesquels un virus entre dans une cellule hôte peuvent varier d'un virus à l'autre, mais en général, cela inclut soit la fusion de l'enveloppe virale avec la membrane de la cellule hôte, soit l'endocytose du virus par la cellule hôte. Dans certains cas, le virus pourrait ne pas être en mesure de pénétrer dans la cellule hôte sans des composants supplémentaires, tels que des co-récepteurs ou des protéases, pour faciliter son entrée. Une fois qu'il est entré dans la cellule hôte, le virus peut entamer le processus de réplication.

Une fois qu'il est à l'intérieur de la cellule de son hôte, le virus dupliquera son matériel génétique en utilisant les mécanismes de la cellule hôte. Le processus de réplication peut impliquer la production de protéines virales et la formation de nouvelles particules virales.

Le processus de réplication est crucial dans le cycle de vie des virus, car il permet au virus de produire de multiples copies de lui-même et de continuer à infecter d'autres cellules et organismes.

De nouvelles particules virales sont assemblées à l'intérieur de la cellule hôte. Une particule virale complète est formée lorsque la capside et le matériel génétique sont réunis. Le processus d'assemblage est très précisément contrôlé par le virus, et de nombreux virus utilisent diverses techniques pour assembler leurs composants. Pour s'assembler, certains virus peuvent utiliser les mécanismes de leurs cellules hôtes, tandis que d'autres peuvent dépendre de protéines virales spécifiques.

La libération de nouvelles particules virales depuis l'intérieur de la cellule hôte marque la culmination du cycle de vie du virus. Cela peut se produire lorsque la cellule hôte est détruite, ce qui est appelé la lyse, ou cela peut se produire lorsque le virus perce la membrane cellulaire et quitte la cellule hôte. Le processus de libération est une partie essentielle du cycle de vie des virus car il ouvre la voie à la réplication du virus et à l'infection de plus de cellules et d'organismes. Le mécanisme de libération peut également influencer la pathogenèse du virus, c'est-à-dire la gravité de la maladie qu'il provoque.

Il existe diverses différences entre les cycles de vie des différents virus, même si les processus fondamentaux dans le cycle de vie viral sont les mêmes pour tous les virus. Ces variations ont le potentiel d'affecter la pathogenèse du virus, c'est-à-dire la gravité de la maladie que le virus provoque.

La manière dont le virus pénètre dans sa cellule hôte est l'un des aspects du cycle de vie des virus qui peut varier considérablement. Pour faciliter l'entrée dans la cellule hôte, certains virus peuvent utiliser divers récepteurs ou co-récepteurs à la surface de la cellule hôte. Cela peut avoir un impact sur les types de cellules et d'organismes que le virus est capable d'infecter.

La méthode par laquelle le virus quitte la cellule hôte représente un autre point clé de différence dans le cycle de vie des virus. Certains virus peuvent provoquer la lyse de la cellule hôte, ce qui peut entraîner la mort cellulaire et des dommages aux tissus, tandis que d'autres peuvent quitter la cellule hôte en bourgeonnant de la membrane cellulaire, ce qui peut être moins destructeur pour la cellule hôte.

Les virus peuvent également varier en termes de vitesse et d'efficacité de leur cycle de réplication, ce qui peut influencer la gravité de la maladie qu'ils provoquent. Il est possible que certains virus aient un cycle de réplication plus rapide, ce qui rend la maladie plus grave, tandis que d'autres ont un cycle de réplication plus lent, ce qui rend les symptômes moins graves.

Le cycle lytique et le cycle lysogénique sont les deux formes les plus courantes de cycles de réplication virale.

Le cycle de reproduction des virus qui aboutit finalement à la lyse, ou destruction, de la cellule hôte est appelé cycle lytique. Le cycle lytique est généralement associé aux infections virales aiguës, qui se caractérisent par une réplication virale rapide entraînant des dommages substantiels à la cellule hôte et aux tissus environnants. Le virus de la grippe et le virus de l'herpès simplex sont tous deux des exemples de virus qui subissent un processus appelé cycle lytique.

Le cycle lysogénique est la phase de réplication virale au cours de laquelle le virus intègre son matériel génétique dans le génome de la cellule hôte. Cela permet au virus de rester dormant dans la cellule hôte sans infliger de dommages immédiats. Le cycle lysogénique est généralement associé aux infections virales chroniques, où le virus persiste chez l'hôte pendant une période prolongée sans provoquer de symptômes significatifs. Le virus du papillome humain (VPH) et le virus d'Epstein-Barr (EBV) sont tous deux des exemples de virus qui subissent un processus appelé cycle lysogénique.

Il existe plus d'un type de virus, chacun ayant le potentiel de déclencher une maladie différente chez les humains et les autres organismes vivants. Il est essentiel de comprendre les différents types de virus pour traiter et prévenir avec succès les infections virales.

Les virus à ARN se distinguent par le fait qu'ils utilisent l'ARN comme matériel génétique et que leur réplication dépend de l'ARN polymérase. Le virus de la grippe, le virus de la rougeole et le virus de l'hépatite C sont tous des exemples de virus de type ARN. En fonction de l'organisation de leurs génomes, les virus à ARN peuvent être subdivisés en plusieurs catégories :

Les virus à ARN à sens positif possèdent des génomes d'ARN qui peuvent être directement traduits en protéines virales par les mécanismes présents dans la cellule hôte. Des exemples de virus à ARN à sens positif comprennent le virus SARS-CoV-2, responsable du COVID-19, et le virus de l'hépatite A.

Les génomes à ARN de ces virus doivent être transformés en un ARN de sens positif intermédiaire avant que la synthèse des protéines virales puisse avoir lieu. Ces virus sont classés comme "de sens négatif". Le virus Ebola et le virus de la rage sont tous deux des exemples de virus qui contiennent la forme d'ARN de sens négatif.

Les virus qui se répliquent en utilisant une ARN polymérase ARN dépendante virale sont appelés virus à ARN bicaténaire. Ces virus ont des génomes d'ARN bicaténaires et se répliquent en utilisant l'enzyme. Le rotavirus, responsable de la diarrhée sévère chez les enfants, est un exemple de virus à deux brins d'ARN.

Les virus à ADN utilisent l'ADN comme matériel génétique, et l'ADN polymérase ADN dépendante est l'enzyme responsable de leur réplication. Le virus de l'herpès simplex, le virus du papillome humain et le virus varicelle-zona sont tous des exemples de virus qui contiennent de l'ADN. En fonction de l'organisation de leurs génomes, les virus à ADN peuvent être subdivisés en plusieurs catégories :

Ces virus ont des génomes d'ADN monobrins et se reproduisent en utilisant une ADN polymérase ADN dépendante virale. Les virus à ADN monobrin sont le type de virus à ADN le plus courant. Un exemple de virus possédant un seul brin d'ADN est le parvovirus, qui peut entraîner une anémie sévère chez les chiens.

Ces virus ont des génomes d'ADN bicaténaires et se répliquent en utilisant une ADN polymérase ADN dépendante virale. Les adénovirus, par exemple, sont des exemples de virus à ADN bicaténaire. Les adénovirus sont connus pour provoquer des infections respiratoires ainsi que des gastro-entérites.

Le matériel génétique que possèdent les rétrovirus est l'ARN, mais pour se multiplier, ils ont besoin d'une enzyme appelée transcriptase inverse pour générer de l'ADN, qui est ensuite incorporé dans le génome de la cellule hôte. Par exemple, le virus de l'immunodéficience humaine, également connu sous le nom de VIH, et le virus T-lymphotrope humain sont tous deux des exemples de rétrovirus (HTLV). L'organisation du génome d'un rétrovirus permet une classification supplémentaire du virus, notamment :

Les rétrovirus simples se caractérisent par la présence d'une seule lecture ouverte et la génération d'une polyprotéine unique qui peut être clivée en plusieurs protéines différentes ayant des fonctions spécifiques. Le virus de la leucémie murine de Moloney et le virus de la leucémie féline sont tous deux des exemples de rétrovirus simples.

Les rétrovirus complexes se caractérisent par la présence de nombreuses lectures ouvertes et la génération de plusieurs polyprotéines qui sont ensuite clivées en protéines fonctionnelles. Le virus de l'immunodéficience humaine (VIH) et le virus de l'immunodéficience simienne sont tous deux des exemples de rétrovirus complexes.

Les adénovirus sont des virus à ADN qui peuvent infecter les humains et provoquer diverses maladies, telles que la gastro-entérite, la conjonctivite et les infections respiratoires. Les génomes des adénovirus sont constitués de deux brins d'ADN, et le processus de réplication est catalysé par une ADN polymérase ADN dépendante virale.

Les propriétés génétiques et antigéniques des adénovirus permettent une catégorisation plus poussée du virus en sept espèces distinctes, désignées par les lettres A à G. Chaque espèce peut provoquer différentes maladies, mais certaines espèces sont liées à des affections plus graves que d'autres.

Les herpèsvirus sont une classe de virus à ADN responsables d'une large gamme de troubles, tels que la varicelle, les boutons de fièvre et l'herpès génital. Les herpèsvirus ont des génomes constitués de deux brins d'ADN, et pour se répliquer, ils ont besoin d'une ADN polymérase ADN dépendante virale. Les herpèsvirus peuvent être classés plus en détail en trois sous-familles, notamment :

Les herpèsvirus alpha sont les agents causaux d'infections aiguës et sont généralement liés à des plaies ou des ulcérations qui apparaissent sur la peau ou les muqueuses. Le virus de l'herpès simplex de type 1 et le virus varicelle-zona sont tous deux des types d'herpèsvirus alpha. Les deux de ces virus peuvent causer l'herpès génital.

Les herpèsvirus bêta sont un groupe de virus connus pour provoquer des infections dormantes et sont souvent liés au développement de maladies chroniques. Des exemples d'herpèsvirus bêta incluent le cytomégalovirus et l'herpèsvirus humain 6.

Dans la plupart des cas, les cancers et les maladies lymphoprolifératives sont associés aux herpèsvirus gamma car ces virus génèrent des infections latentes. Le virus Epstein-Barr et le virus de l'herpès associé au sarcome de Kaposi sont tous deux des exemples d'herpèsvirus gamma.

Les virus à ADN sont appelés papillomavirus, et ils sont responsables d'une large gamme de maladies, notamment les verrues et certaines formes de cancer. Les génomes des papillomavirus sont composés d'ADN bicaténaire, et le processus de réplication est catalysé par une ADN polymérase ADN dépendante virale.

En fonction des propriétés génétiques et antigéniques qu'ils partagent, les papillomavirus peuvent être subdivisés en plusieurs genres différents. Un seul genre peut provoquer de nombreuses maladies différentes, et certains genres ont été liés à une probabilité accrue de cancer.

Les virus à ARN connus sous le nom d'orthomyxovirus sont responsables d'une large gamme d'infections, dont le virus de la grippe. Les génomes des orthomyxovirus sont composés d'ARN antisens, et le processus de réplication est catalysé par une ARN polymérase ARN dépendante produite par le virus. Les orthomyxovirus peuvent être classés plus en détail en plusieurs genres, notamment :

Ce virus est capable d'infecter un large éventail d'hôtes, y compris les êtres humains, les porcs et les oiseaux. Le virus de la grippe de type A est associé aux épidémies de grippe saisonnière et aux pandémies.

Bien qu'il soit capable d'infecter les humains, ce virus ne provoque généralement pas d'épidémies importantes. Dans la plupart des cas, les épidémies de grippe saisonnière sont causées par le virus de la grippe de type B.

Ce virus est capable d'infecter les humains, mais il n'est pas aussi répandu et ne provoque pas autant de maladies que les virus de la grippe de type A ou B.

Le processus de réplication des virus est unique en ce sens qu'il nécessite l'aide d'une cellule hôte. Après avoir pénétré avec succès dans la cellule de son hôte, le virus utilisera le matériel génétique de la cellule hôte pour copier son propre matériel génétique et produire de nouvelles particules virales. Ce processus a le potentiel de endommager la cellule hôte, ce qui peut éventuellement entraîner une maladie.

La capacité des virus à évoluer rapidement est également un aspect crucial de leur fonctionnement. Les virus sont capables de subir des mutations, qui peuvent soit leur permettre d'échapper au système immunitaire de leur hôte, soit les rendre plus contagieux. En raison de cela, il peut être difficile de créer des traitements efficaces ainsi que des immunisations.

L'un des facteurs les plus importants dans le fonctionnement des virus est leur capacité à se propager de personne à personne. Il existe plusieurs façons différentes dont les virus peuvent se propager, notamment :

Lorsque les particules virales sont dispersées dans l'air, ce qui se produit généralement lorsqu'une personne tousse ou éternue, on parle de transmission par voie aérienne. Le virus de la grippe et le virus de la rougeole sont tous deux des exemples de virus capables de se propager par transmission aérienne.

Lorsqu'une personne entre en contact direct avec une personne infectée par un virus, ou lorsqu'elle entre en contact avec une surface contaminée par des virus, on parle de transmission par contact. Le virus qui cause le rhume commun et le norovirus sont tous deux des exemples de virus qui peuvent être transmis de personne à personne par contact direct.

La transmission d'un virus par la piqûre d'un animal ou d'un insecte infecté est appelée transmission par vecteur. Le virus Zika et le virus du Nil occidental sont tous deux des exemples de virus qui peuvent être transmis par des vecteurs.

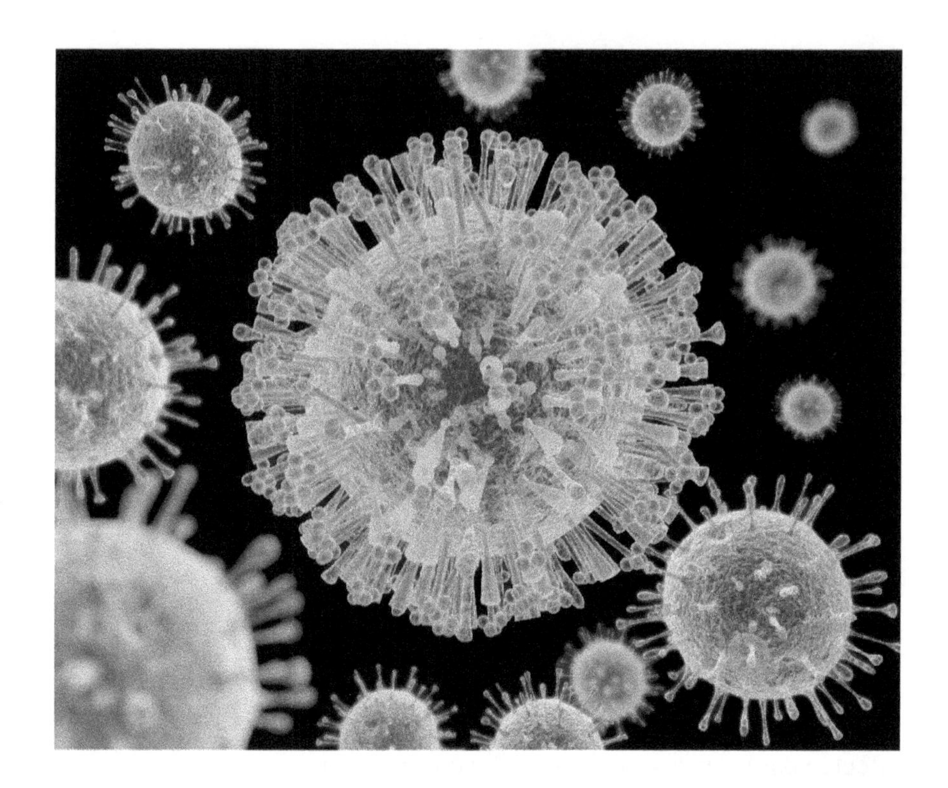

Il est essentiel de prévenir et de traiter les infections virales si l'on souhaite réduire les effets négatifs des risques viraux sur la santé publique. Voici quelques-unes des stratégies de prévention et de traitement les plus efficaces contre les infections virales :

Les vaccinations figurent parmi les moyens les plus efficaces de se protéger contre les maladies causées par les virus. Les vaccins fonctionnent en incitant le système immunitaire à produire des anticorps contre le virus, ce qui empêche soit la maladie de se développer soit en atténue la gravité des symptômes provoqués par une infection.

Les médicaments antiviraux peuvent être utilisés pour traiter les infections virales. Ces médicaments sont efficaces car ils ciblent des étapes spécifiques du cycle de vie du virus, empêchant ainsi le virus de se reproduire et de se propager.

Pour prévenir la propagation des maladies virales, il est possible d'utiliser des mesures de santé publique telles que les tests, la recherche des contacts et la mise en quarantaine. Des épidémies de virus tels qu'Ebola et le SRAS ont été contenues avec succès grâce à ces efforts préventifs.

Il est possible de réduire la propagation des maladies infectieuses en prenant des mesures préventives à l'échelle individuelle, telles que se laver les mains fréquemment, porter des masques et maintenir la distance sociale. La transmission de virus respiratoires tels que la grippe et la COVID-19 a été considérablement ralentie grâce à la mise en œuvre de ces mesures préventives.

En conclusion, les virus représentent l'une des menaces les plus significatives pour la santé publique aujourd'hui. Pour prévenir et traiter les infections virales, il est impératif de bien comprendre la structure et le comportement des virus. Les virus sont particuliers en ce sens qu'ils ont la capacité de s'adapter rapidement et de se transmettre d'une personne à l'autre, ce qui rend difficile leur maîtrise.

La vaccination, les médicaments antiviraux, les mesures de santé publique et les mesures de protection individuelle ne sont que quelques-unes des nombreuses méthodes qui peuvent être utilisées conjointement pour prévenir et traiter efficacement les infections virales. Il est absolument nécessaire de poursuivre la recherche et d'investir dans l'infrastructure de santé publique et la préparation aux pandémies afin de réduire les effets négatifs de toute future menace virale.

Nous pouvons réduire l'impact que les dangers viraux ont sur la santé publique, l'économie mondiale et la vie quotidienne si nous maintenons notre niveau d'investissement dans les efforts visant à prévenir et à traiter les maladies infectieuses.

Aperçu du système immunitaire et de son fonctionnement pour se protéger contre les virus

Le système immunitaire est un réseau complexe de cellules, de tissus et d'organes qui travaillent ensemble pour protéger le corps contre les agents infectieux tels que les virus. Ce réseau est connu sous le nom de système immunitaire. Le système immunitaire est essentiel pour prévenir les infections virales, et comprendre son fonctionnement est essentiel pour développer des traitements et des vaccins efficaces.

Sa principale fonction est de prévenir les maladies. Comprendre les composants du système immunitaire est essentiel pour la création de thérapies et de vaccins réussis, car c'est le système immunitaire qui est responsable de la prévention et du contrôle des maladies. Dans cette section, nous présenterons un aperçu des nombreux composants du système immunitaire. Ces composants comprennent le système immunitaire inné, le système immunitaire adaptatif et le système lymphatique.

Lorsqu'il s'agit de lutter contre les envahisseurs infectieux, le système immunitaire inné est la première ligne de défense. Il est composé de cellules et de tissus capables d'identifier et de réagir à une grande variété d'agents infectieux, tels que les virus, les bactéries et les champignons.

Les cellules qui font partie de la première ligne de défense du corps comprennent :

Les neutrophiles, qui sont le type le plus courant de globules blancs présents dans le corps, et ce sont également les premiers à réagir à une infection après qu'elle se soit produite. Ce sont des cellules phagocytaires qui peuvent engloutir et détruire les agents pathogènes. La production de neutrophiles peut augmenter rapidement en réponse aux infections bactériennes, ce qui est important car ils sont nécessaires pour prévenir et contrôler les infections bactériennes.

Les macrophages, qui sont un autre type de cellule phagocytaire capable de consommer et d'éliminer les micro-organismes nocifs. Ils se trouvent dans tous les tissus du corps et jouent un rôle crucial dans le déclenchement de la réponse immunitaire. Les macrophages ont la capacité de reconnaître et de réagir à une grande variété d'infections. De plus, les macrophages peuvent produire des cytokines, qui peuvent stimuler l'activité d'autres cellules du système immunitaire.

Les cellules tueuses naturelles, qui ont la capacité de reconnaître et d'éliminer les cellules cancéreuses ainsi que les cellules infectées par des virus. Elles jouent un rôle important dans la suppression des infections virales et la prévention de la formation de tumeurs. Les cellules tueuses naturelles ont la capacité de créer des cytokines, qui ont le potentiel d'activer d'autres cellules du système immunitaire, telles que les macrophages et les cellules dendritiques.

Les cellules dendritiques, qui se trouvent dans les tissus constamment exposés au monde extérieur, tels que la peau et les muqueuses du corps. Elles peuvent reconnaître et capturer les agents pathogènes et les présenter à d'autres cellules du système immunitaire pour déclencher une réponse immunitaire. La stimulation des cellules dendritiques peut conduire à l'activation et à la multiplication des lymphocytes B et des lymphocytes T, qui sont toutes deux des étapes cruciales du processus de déclenchement de la réponse immunitaire adaptative. Les cellules dendritiques sont un élément clé de ce processus.

Les mastocytes, qui sont des cellules résidentes dans les tissus et qui, en réponse aux infections ou à d'autres stimuli, sont capables de produire les médiateurs inflammatoires tels que l'histamine et d'autres médiateurs de l'inflammation. Les réponses immunitaires innées, telles que celles contre les parasites et autres agents pathogènes, sont en grande partie orchestrées par les mastocytes, qui jouent un rôle important dans ces processus.

Les éosinophiles, qui sont un type particulier de globules blancs qui jouent un rôle important dans la réponse immunitaire du corps aux parasites et autres agents infectieux. Ils sont capables de produire des cytokines, qui peuvent activer d'autres cellules du système immunitaire, et ils sont également capables de libérer des granules toxiques, capables de tuer les infections.

Les globules blancs connus sous le nom de basophiles jouent un rôle important dans la lutte du système immunitaire contre les parasites et d'autres agents infectieux. Ils peuvent produire de l'histamine et d'autres médiateurs de l'inflammation en réponse aux agents pathogènes ou à d'autres stimuli, et jouent un rôle critique dans la réponse immunitaire innée.

De plus, le système immunitaire inné est composé d'une variété de protéines et de produits chimiques capables d'identifier les agents pathogènes et de réagir de manière appropriée à leur égard. Parmi ceux-ci, on peut citer les éléments suivants :

Le système du complément est composé de nombreuses protéines capables d'identifier et d'éliminer les organismes nuisibles. Le système du complément peut être déclenché par des anticorps ou directement par les agents pathogènes. Une fois activé, le système du complément peut entraîner la destruction des agents pathogènes par diverses méthodes, notamment la formation de pores dans la membrane de l'agent pathogène et l'activation des cellules phagocytaires. Les anticorps et les agents pathogènes ont tous deux la capacité d'activer le système du complément.

Les cytokines sont de petites protéines capables d'influencer la réponse immunitaire en favorisant l'inflammation, en activant les cellules immunitaires et en provoquant la mort cellulaire dans les cellules infectées. Les cytokines sont sécrétées par les cellules immunitaires activées en réponse aux infections. Les cytokines peuvent être produites par diverses cellules du système immunitaire, notamment les macrophages, les cellules dendritiques et les lymphocytes T ; la production de ces cytokines peut être stimulée par la présence d'agents pathogènes ou d'autres stimuli. Les cytokines jouent un rôle important dans la réponse immunitaire.

Les protéines appelées interférons sont capables d'inhiber la multiplication des virus et de stimuler le système immunitaire. Les interférons sont produits par les cellules infectées par le virus et peuvent stimuler les cellules voisines à produire des protéines antivirales qui peuvent empêcher la réplication virale. Les cellules tueuses naturelles et les lymphocytes T, qui ont tous deux la capacité de reconnaître et d'éliminer les cellules infectées par le virus, peuvent être activés par les interférons.

Le système immunitaire adaptatif est composé de cellules et de tissus capables de reconnaître et de réagir à une grande variété de virus et d'autres types d'agents infectieux. Contrairement au système immunitaire inné, qui assure une protection générale contre un large éventail de maladies, le système immunitaire adaptatif est capable de fournir une défense spécifique contre un pathogène particulier. Les cellules du système immunitaire adaptatif comprennent :

Les lymphocytes B, qui ont la capacité de créer des anticorps, des protéines capables de reconnaître et d'inhiber l'activité des virus. Les lymphocytes B ont la capacité de reconnaître et de réagir à une large gamme d'antigènes viraux, et l'activation de ces cellules peut entraîner la production de vastes quantités d'anticorps spécifiques qui sont capables de se lier et d'inhiber l'activité des virus.

Les lymphocytes T, qui peuvent reconnaître et tuer directement les cellules infectées par le virus et aider à activer d'autres cellules du système immunitaire. Les lymphocytes T sont capables de reconnaître les antigènes viraux lorsqu'ils leur sont présentés par les cellules infectées ; cette reconnaissance peut ensuite conduire à l'activation des lymphocytes T, qui à leur tour peuvent entraîner la destruction des cellules infectées par le virus et l'élimination du virus.

De plus, le système immunitaire adaptatif est composé d'une grande variété de produits chimiques et de protéines capables de reconnaître des maladies spécifiques et de réagir de manière appropriée à celles-ci. Parmi ceux-ci, on peut citer les éléments suivants :

Les anticorps, qui sont des protéines produites par les lymphocytes B, sont capables de reconnaître et d'inhiber l'activité des virus. Les anticorps ont la capacité de se lier aux antigènes viraux et d'empêcher ainsi ces antigènes viraux d'entrer dans les cellules ou d'interagir avec les récepteurs cellulaires. Les anticorps ont la capacité de stimuler d'autres cellules du système immunitaire, telles que les macrophages et les cellules tueuses naturelles, à participer au processus de destruction des cellules infectées par le virus après leur activation.

Les molécules du CMH (Complexe majeur d'histocompatibilité) sont des molécules qui stimulent une réponse immunitaire en présentant des antigènes viraux aux lymphocytes T. Les cellules infectées ont des molécules du CMH à leur surface, et ces molécules ont la capacité de présenter les antigènes viraux produits par le virus à l'intérieur de la cellule infectée. La présentation des antigènes viraux par les molécules du CMH peut entraîner l'activation des cellules T, qui peuvent reconnaître et tuer les cellules infectées.

À la surface des cellules T se trouvent des molécules appelées récepteurs des cellules T, qui sont capables de reconnaître les antigènes viraux lorsqu'ils sont présentés par les molécules du CMH. Les récepteurs des cellules T sont capables de reconnaître un antigène viral spécifique en raison de leur grande spécificité. L'activation des lymphocytes T par les antigènes viraux peut entraîner la mort des cellules infectées et l'élimination complète du virus de l'organisme.

Le système lymphatique est un réseau de tubes et de tissus qui joue un rôle important dans le déplacement des cellules immunitaires et des fluides dans tout le corps. Les ganglions lymphatiques, la rate, le thymus et la moelle osseuse sont tous des composants du système lymphatique. Ces organes jouent tous un rôle dans la génération des cellules immunitaires, ainsi que dans leur maturation et leur activation.

Les ganglions lymphatiques sont des structures en forme de haricot dispersées dans tout le corps et jouent un rôle dans l'activation des cellules immunitaires. Les ganglions lymphatiques peuvent être identifiés par leur petite taille caractéristique. Les ganglions lymphatiques contiennent des cellules B, des cellules T et des cellules dendritiques, et leur activation peut entraîner la production d'anticorps spécifiques ainsi que l'activation de cellules T spécifiques.

La rate est un organe qui se trouve dans la partie supérieure gauche de l'abdomen. Elle joue un rôle dans le processus d'activation et de destruction des cellules immunitaires. L'activation des cellules B, des cellules T, des macrophages et des cellules dendritiques de la rate peut entraîner la création d'anticorps spécifiques et la mort des cellules infectées dans le corps.

La maturation des cellules T nécessite la participation d'une glande appelée le thymus, située dans la poitrine. Le thymus contient des cellules spécialisées capables de stimuler la maturation des lymphocytes T et leur activation en réponse aux antigènes viraux. Cela peut aider à empêcher la propagation du virus.

La moelle osseuse est un type de tissu situé à l'intérieur des os et joue un rôle important dans la génération des cellules immunitaires. Ces cellules comprennent les cellules B, les cellules T et les cellules tueuses naturelles. La moelle osseuse contient des cellules spécialisées capables de favoriser la production et la maturation des cellules immunitaires, et son activation peut entraîner la production d'anticorps spécifiques et l'activation de cellules T spécifiques.

Comment les virus affectent le corps et comment le système immunitaire réagit

Une vaste variété de maladies chez les humains, les animaux et les plantes peut être provoquée par les virus, qui sont de petits organismes infectieux. Les virus sont exceptionnels en ce sens qu'ils ne peuvent se reproduire que dans les cellules hôtes, échapper au système immunitaire et provoquer des infections durables. Dans cette section, nous parlerons de la manière dont les virus affectent le corps humain et de la manière dont le système immunitaire réagit aux infections virales.

Le type de virus et la réponse immunitaire de l'hôte peuvent avoir un impact majeur sur la façon dont les virus affectent le corps. Alors que certains virus ne provoquent que des symptômes mineurs, d'autres peuvent entraîner des maladies graves, voire la mort. Les trois étapes des conséquences d'une infection virale sont la période d'incubation, la période prodromique et la phase aiguë.

La période d'incubation est une période cruciale dans le développement des maladies infectieuses. L'infection progresse dans le corps pendant cette période, bien que la personne soit généralement asymptomatique. Selon le pathogène, la période d'incubation peut durer de quelques heures à plusieurs semaines.

La transmission des maladies infectieuses dépend de la période d'incubation. Pendant cette période, la personne peut être asymptomatique, mais continuer à propager l'infection et potentiellement infecter d'autres personnes. Cela est particulièrement important pour les infections respiratoires comme la COVID-19, car les personnes peuvent propager l'infection même avant de présenter des symptômes. Les variables suivantes peuvent affecter la durée de la phase d'incubation :

Différents pathogènes ont différentes périodes d'incubation. Dans le cas de la grippe, la période d'incubation dure généralement de un à quatre jours, tandis que la période d'incubation de l'hépatite B peut durer jusqu'à six mois.

La durée de la période d'incubation est susceptible d'être influencée par la virulence de l'infection. Les pathogènes plus virulents peuvent provoquer des symptômes plus rapidement que les pathogènes moins virulents.

Il existe une corrélation entre la quantité du pathogène et la durée de la période d'incubation. Une dose plus faible du pathogène peut prendre plus de temps à provoquer des symptômes par rapport à une dose plus élevée.

La période d'incubation peut être prolongée ou raccourcie en fonction du système immunitaire de l'individu. Une durée prolongée de la période d'incubation peut résulter d'un système immunitaire plus fort capable de maintenir le virus à distance pendant une plus longue période.

La durée pendant laquelle une maladie infectieuse passe en "incubation" est un facteur crucial à la fois pour le diagnostic et le traitement des maladies infectieuses. Lorsque les professionnels de la santé ont une compréhension approfondie de la période d'incubation, ils sont mieux à même d'identifier l'agent infectieux responsable de la maladie et d'établir des plans de traitement efficaces.

Par exemple, si un individu présente des symptômes d'une infection respiratoire, mais que la période d'incubation de la COVID-19 est de deux semaines, le professionnel de la santé peut devoir examiner d'autres infections potentielles et effectuer davantage de tests pour confirmer le diagnostic.

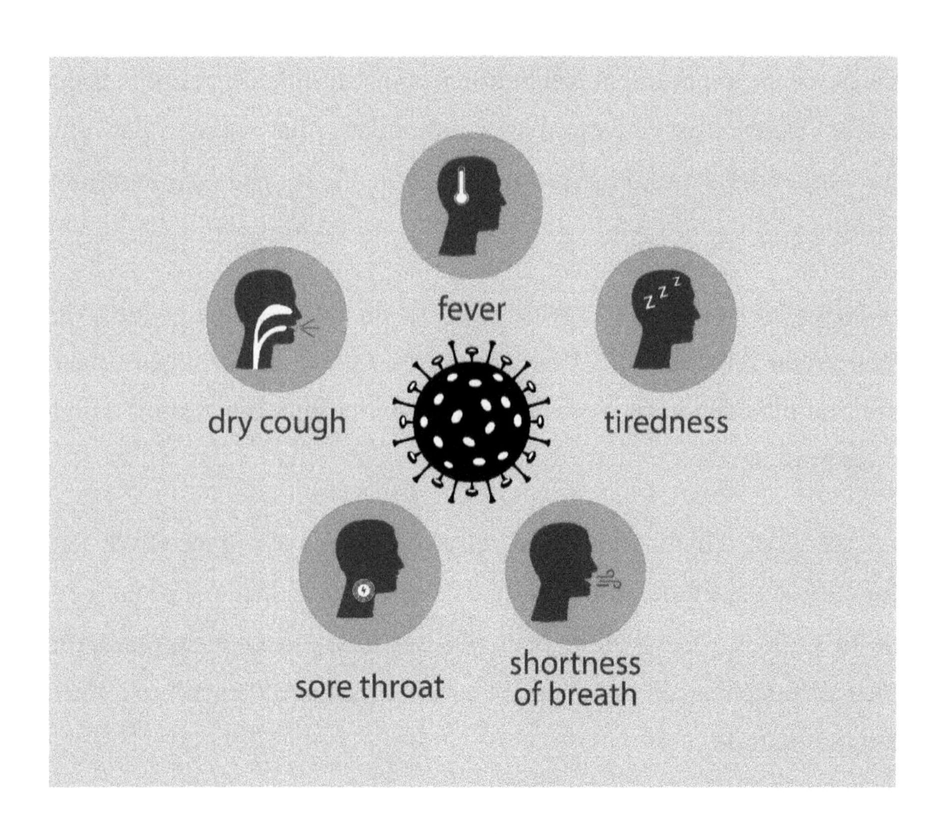

Dans le traitement des troubles infectieux, la durée de la période d'incubation est également un facteur important à prendre en compte. Lorsqu'un patient est diagnostiqué et traité à un stade précoce, ses chances de guérison sont meilleures et le risque qu'il pose pour les autres est moindre. Cependant, le diagnostic précoce peut être difficile à obtenir car la personne ne présente généralement aucun symptôme pendant la période d'incubation.

Pendant une maladie infectieuse, le temps qui s'écoule entre le début des symptômes et le moment où la maladie atteint son pic est appelé la période prodromique. Cette phase est importante dans la progression de la maladie car elle marque le développement progressif des symptômes. Dans cette section, nous parlerons de la phase prodromique, de son importance dans la progression de la maladie et de son rôle dans le diagnostic et le traitement des maladies infectieuses.

La période prodromique est la période qui s'écoule entre le début des symptômes et le pic de la maladie. Pendant cette période, la personne affectée peut ressentir divers symptômes tels que la fatigue, la fièvre, les maux de tête et les douleurs musculaires. La durée de la phase prodromique peut varier en fonction de l'agent infectieux et du système immunitaire de la personne.

La période prodromique est une phase importante dans la progression des maladies infectieuses. Pendant cette période, le système immunitaire se prépare à attaquer le virus, tandis que le pathogène se réplique rapidement. La gravité de la phase prodromique ainsi que sa durée peuvent fournir des informations précieuses sur l'agent infectieux et la réponse immunitaire de la personne. La durée et la gravité de la phase prodromique peuvent être influencées par plusieurs facteurs, notamment les suivants :

Différents pathogènes peuvent entraîner des périodes prodromiques différentes. Par exemple, la phase prodromique de la grippe peut durer de un à quatre jours, tandis que celle de l'hépatite B peut durer d'une semaine à plusieurs semaines.

La virulence du virus peut avoir un impact sur la gravité de la phase prodromique. Les infections plus virulentes peuvent provoquer des symptômes plus graves pendant la phase prodromique.

Le système immunitaire de la personne peut influencer l'intensité des symptômes et la durée de la phase prodromique. Il existe une corrélation entre un système immunitaire plus fort et la capacité à confiner le virus plus rapidement, ce qui peut entraîner une phase prodromique plus courte.

La période prodromique est importante dans le diagnostic et le traitement des maladies infectieuses. La gravité de la phase prodromique ainsi que sa durée peuvent fournir des informations précieuses sur l'agent infectieux et la réponse immunitaire de la personne. Ces informations peuvent aider les professionnels de la santé à déterminer l'agent pathogène spécifique responsable de la maladie et à concevoir des options de traitement efficaces.

Par exemple, si une personne passe par une phase prodromique qui dure longtemps, le professionnel de la santé peut être amené à enquêter sur un pathogène responsable d'infections chroniques, comme le VIH ou l'hépatite B. Si une personne présente une brève phase prodromique mais développe des symptômes importants pendant la phase aiguë, le praticien de santé peut être amené à enquêter sur un pathogène plus virulent comme étant la cause probable de la maladie.

La phase prodromique fait également partie intégrante du processus thérapeutique des troubles infectieux. Plus tôt un patient est diagnostiqué et traité, meilleures sont ses chances de guérison et plus faible est le risque qu'il pose pour les autres. Cependant, un diagnostic précoce peut être difficile à obtenir car la phase prodromique n'est pas toujours constante ou claire comme d'autres stades de la maladie.

La phase aiguë est la période d'une maladie infectieuse pendant laquelle le pathogène se réplique activement dans le corps et où la personne présente des symptômes. Cette phase survient souvent après la période prodromique, pendant laquelle la personne peut avoir eu des symptômes non spécifiques tels que la fatigue, la fièvre et des douleurs musculaires.

Pendant la phase aiguë, le système immunitaire réagit de manière agressive au pathogène dans le but de l'éliminer du corps. Pendant cette phase, l'état est appelé une infection aiguë. Le développement de symptômes tels que la fièvre, l'inflammation et des lésions tissulaires peut être le résultat de cette réponse immunitaire.

La gravité et la durée de la phase aiguë peuvent varier en fonction de l'agent pathogène ainsi que du système immunitaire de la personne. Dans certaines situations, la phase aiguë peut être modérée et passer rapidement, tandis que dans d'autres cas, elle peut être sévère et persister pendant plusieurs semaines ou mois. Cela peut dépendre du cas individuel. La gravité et la durée de la phase aiguë peuvent être influencées par plusieurs facteurs, notamment les suivants :

La phase aiguë peut avoir différents degrés de gravité et durer plus ou moins longtemps en fonction de l'agent pathogène qui l'a provoquée. Par exemple, la grippe provoque généralement une phase aiguë courte et sévère, tandis que le VIH peut provoquer une phase aiguë prolongée et variable.

La virulence du pathogène peut influencer la gravité de la phase aiguë. Les micro-organismes plus virulents peuvent provoquer des symptômes plus graves et plus durables pendant la phase aiguë.

Le degré de gravité et la durée de la phase aiguë sont tous deux influencés par le système immunitaire de la personne. Un système immunitaire plus robuste peut être plus efficace pour éliminer le pathogène en moins de temps, ce qui se traduirait par une durée de la phase aiguë plus gérable.

En ce qui concerne le diagnostic et le traitement des maladies infectieuses, la phase aiguë est extrêmement importante. L'intensité de la phase aiguë, ainsi que sa durée, peuvent fournir des informations précieuses sur l'agent infectieux et la réponse immunitaire de la personne. Ces informations peuvent aider les professionnels de la santé à déterminer l'agent pathogène spécifique responsable de la maladie et à concevoir des options de traitement efficaces.

Par exemple, si une personne traverse une phase aiguë sévère, le professionnel de la santé peut être amené à évaluer la possibilité d'une maladie plus virulente ou d'un système immunitaire affaibli. Si une personne présente une phase aiguë prolongée, le professionnel de santé peut envisager un pathogène provoquant des infections chroniques, comme le VIH ou l'hépatite B.

Le traitement des maladies infectieuses met également l'accent sur la phase aiguë. Plus tôt un patient est diagnostiqué et traité, meilleures sont ses chances de guérison et plus faible est le risque qu'il pose pour les autres. Pendant la phase aiguë de la maladie, les techniques thérapeutiques peuvent se concentrer sur la gestion des symptômes et le renforcement de la réponse immunitaire. Dans certaines circonstances, des médicaments antiviraux peuvent être utilisés pour cibler directement l'infection.

Il est possible qu'une infection virale ait des effets très différents sur le corps en fonction non seulement du type de virus, mais aussi de la réponse immunitaire de l'hôte. Alors que certains virus ne provoquent que des symptômes modérés, d'autres ont le potentiel de provoquer une maladie grave, voire la mort.

Lorsqu'il s'agit de protéger le corps contre les infections virales, le système immunitaire est un acteur extrêmement important. Le système immunitaire peut reconnaître et répondre aux infections virales en activant les cellules immunitaires et en produisant des anticorps et des cytokines qui peuvent inhiber la réplication virale et éliminer les cellules infectées. Lorsqu'on parle de la réaction du système immunitaire aux infections virales, aussi bien la réponse immunitaire innée que la réponse immunitaire adaptative peuvent être décomposées en deux phases distinctes.

La première ligne de défense que le corps possède contre les envahisseurs étrangers est appelée réponse immunitaire innée. Il s'agit d'une réaction non spécifique présente dès la naissance et qui ne nécessite pas une exposition antérieure à un pathogène spécifique. En d'autres termes, c'est une réponse immunitaire innée. La réponse immunitaire innée se compose de plusieurs éléments différents, dont les plus notables sont les barrières physiques et chimiques, les cellules et les protéines solubles. Ces éléments coopèrent les uns avec les autres pour identifier et éliminer les maladies qui ont pénétré dans le corps.

Les barrières physiques sont la première ligne de défense des pathogènes contre l'hôte. Elles comprennent les muqueuses, qui tapissent les voies respiratoires, gastro-intestinales et urogénitales et capturent les pathogènes ; la peau, qui agit comme une barrière physique pour empêcher les pathogènes d'entrer dans le corps ; et les muqueuses de la bouche et du nez, qui remplissent également la même fonction.

Les barrières chimiques sont également importantes dans la réponse immunitaire innée. Elles comprennent des enzymes telles que la lysozyme, qui décomposent les parois cellulaires des bactéries, et des environnements acides, comme dans l'estomac, qui peuvent tuer les pathogènes.

La réponse immunitaire innée fait intervenir plusieurs types de cellules, notamment les suivantes :

Les phagocytes, qui comprennent les macrophages et les neutrophiles, sont des cellules spécialisées du système immunitaire qui ont la capacité de consommer et de détruire des micro-organismes nuisibles. Les cellules tueuses naturelles (NK) sont un type spécifique de globules blancs ayant la capacité de reconnaître et d'éliminer les cellules anormales ou infectées présentes dans le corps.

Les cellules dendritiques sont des cellules spécialisées du système immunitaire qui ont la capacité de présenter des antigènes étrangers à d'autres cellules du système immunitaire, stimulant ainsi une réponse immunitaire.

Les protéines solubles jouent également un rôle significatif dans la réponse immunitaire innée. Certaines de ces protéines comprennent les protéines du complément et les cytokines. Les protéines du complément peuvent enrober les pathogènes, les rendant ainsi plus susceptibles d'être éliminés par les phagocytes. Les cytokines, en revanche, peuvent favoriser l'inflammation et recruter des cellules immunitaires sur le site d'une infection. Ces deux processus sont nécessaires pour une réponse immunitaire efficace.

Lorsqu'il s'agit de défendre le corps contre les maladies infectieuses, la réponse immunitaire innée est l'un des facteurs les plus importants. Elle assure une protection immédiate contre divers pathogènes, y compris ceux qui n'ont jamais été rencontrés auparavant.

Cependant, il existe des situations où la réponse immunitaire innée peut ne pas être suffisante pour éliminer le pathogène, et dans ces cas, une réponse immunitaire adaptative peut être nécessaire. La réponse immunitaire adaptative est une réponse hautement ciblée qui nécessite une expérience antérieure avec un pathogène spécifique pour se développer.

La réponse immunitaire adaptative est un type de réponse immunitaire qui se développe après une exposition initiale à un pathogène, mais uniquement en réponse à ce pathogène particulier. La stimulation des cellules immunitaires et la création d'anticorps spécifiques sont des étapes nécessaires de cette procédure complexe.

La réponse immunitaire humorale et la réponse immunitaire à médiation cellulaire sont les deux composantes principales de la réponse immunitaire adaptative.

Le processus de production d'anticorps en réponse à une maladie particulière est appelé immunité humorale et il est réalisé par les cellules B. Les cellules B sont un type de globules blancs qui ont la capacité de reconnaître des antigènes spécifiques présents à la surface d'une maladie. Une fois activées, les cellules B peuvent se différencier en plasmocytes, qui produisent de grandes quantités d'anticorps capables de se lier au pathogène et de le neutraliser.

L'activation des lymphocytes T en réponse à un pathogène particulier est la première étape du processus de l'immunité à médiation cellulaire. Les lymphocytes T sont un type de globules blancs qui ont la capacité de détecter des antigènes spécifiques présents à la surface d'une maladie. Une fois activés, les lymphocytes T peuvent se différencier en différents types cellulaires, notamment les lymphocytes T cytotoxiques, capables de détruire directement les cellules infectées, et les lymphocytes T auxiliaires, capables de stimuler d'autres cellules immunitaires.

Les cellules présentatrices d'antigènes, qui comprennent les cellules dendritiques et les macrophages, sont essentielles à la réponse immunitaire adaptative et jouent un rôle important dans le processus. Ces cellules ont la capacité d'ingérer et de traiter les infections, puis de transmettre des fragments des antigènes du pathogène à d'autres cellules immunitaires pour déclencher une réponse immunitaire.

Lorsqu'un pathogène pénètre dans le corps et est reconnu par les cellules immunitaires, cela déclenche la réponse immunitaire adaptative. L'immunité adaptative est une forme plus sophistiquée d'immunité. Les antigènes du pathogène sont présentés aux cellules B et aux cellules T, les activant et initiant la production d'anticorps et l'activation d'autres cellules immunitaires.

La réponse immunitaire adaptative peut générer des cellules de mémoire après qu'un individu a été exposé à un pathogène particulier. Ces cellules de mémoire sont capables de détecter le pathogène et de répondre de manière plus rapide et efficace lors d'expositions ultérieures. Cette réponse de mémoire est la base de la vaccination, qui consiste à exposer le corps à une forme affaiblie ou rendue inactive d'un pathogène pour établir une réponse de mémoire sans causer réellement la maladie.

La réponse immunitaire adaptative est un composant extrêmement important dans l'ensemble du processus de défense du corps contre les maladies infectieuses. Elle est capable de cibler et d'éliminer des pathogènes spécifiques, ainsi que de développer des cellules de mémoire pouvant offrir une protection à long terme contre les infections récurrentes.

Cependant, il existe des situations où la réponse immunitaire adaptative pourrait ne pas être suffisante pour éliminer le virus. Dans ces scénarios, il peut être nécessaire de recourir à des traitements supplémentaires, tels que des médicaments antiviraux ou une thérapie immunomodulatrice.

Les virus ont développé une grande variété de mécanismes d'évasion au cours de l'évolution, ce qui leur permet d'établir des infections persistantes. Certaines de ces stratégies comprennent :

Certains virus sont capables de modifier les antigènes à leur surface pour échapper à la reconnaissance du système immunitaire. Certains virus sont capables de former des infections latentes dans les cellules de leurs hôtes, ce qui leur permet d'éviter d'être détectés par le système immunitaire car ils ne se multiplient pas activement.

Certains virus sont capables d'inhiber la réponse immunitaire de l'hôte, ce qui leur permet de se reproduire et de propager la maladie sans être détruits par les défenses du corps. Il existe des virus qui peuvent provoquer une tolérance immunitaire, c'est-à-dire que le système immunitaire est incapable de générer efficacement une réponse contre le virus.

En raison de ces techniques, les virus sont capables de provoquer des infections chroniques, une condition dans laquelle le virus reste dormant dans le corps pendant de longues périodes et est capable de causer des dommages continus aux tissus et aux organes de l'hôte.

En résumé, les virus sont responsables d'une grande variété de maladies qui peuvent affecter les êtres humains, les animaux et les plantes. Une infection virale peut avoir des effets très différents sur le corps en fonction non seulement du type de virus, mais aussi de la réponse immunitaire de l'hôte. Alors que certains virus ne provoquent que des symptômes modérés, d'autres ont le potentiel de causer des maladies graves, voire la mort.

En ce qui concerne la protection du corps contre les infections virales, le système immunitaire joue un rôle extrêmement important. La réponse immunitaire innée offre une protection contre une grande variété de pathogènes, mais la réponse immunitaire adaptative offre une protection contre un pathogène spécifique et a le potentiel d'offrir une immunité à long terme contre les infections ultérieures.

Il existe diverses méthodes que les virus ont développées pour échapper à la détection par le système immunitaire et pour créer des infections persistantes. Afin de créer des thérapies et des vaccins efficaces contre les infections virales, il est essentiel de bien comprendre ces techniques. Notre compréhension de la pathogenèse virale et la création de traitements et de vaccins efficaces bénéficieront tous deux de la poursuite de la recherche sur les effets des virus sur le corps et la réponse immunitaire aux infections virales.

Chapitre II

Antiviraux à Base de Plantes: Un Aperçu

Explication de ce que sont les antiviraux à base de plantes et comment ils fonctionnent

Les antiviraux à base de plantes sont des substances naturelles produites à partir de plantes et qui ont été découvertes pour avoir des activités antivirales. Ces substances sont appelées phytochimiques. Elles ont une longue histoire d'application dans le traitement et la prévention des infections virales en médecine conventionnelle. Dans cette section, nous expliquerons ce que sont les antiviraux à base de plantes, comment ils luttent contre les infections virales, et les avantages potentiels de l'utilisation d'antiviraux à base de plantes pour prévenir et traiter les maladies virales.

Les antiviraux à base de plantes sont des composés organiques issus de plantes qui ont démontré avoir des effets antiviraux. Ils sont fréquemment utilisés en association avec d'autres traitements, tels que des médicaments antiviraux, car ils sont efficaces à la fois dans la prévention et le traitement des infections virales. De nombreuses plantes médicinales, y compris des herbes, ont été identifiées comme ayant des effets antiviraux. Certains des antiviraux à base de plantes les plus couramment utilisés comprennent :

L'échinacée est une herbe bien connue qui a une longue histoire d'utilisation en tant que stimulant du système immunitaire ainsi qu'un moyen de prévention et de traitement des maladies virales, telles que le rhume et la grippe. Il a été démontré que l'ail est une herbe puissante qui possède des capacités antivirales. Il a le potentiel de renforcer le système immunitaire et de protéger contre des maladies virales comme le rhume et la grippe.

Le sureau est un antiviral naturel qui s'est révélé efficace contre différents virus, notamment le virus de la grippe et le virus de l'herpès simplex. En médecine conventionnelle, la racine de réglisse est une herbe bien connue qui est utilisée depuis de nombreuses décennies pour le traitement des infections virales. Il a été démontré qu'elle est efficace contre les virus et qu'elle peut aider à renforcer le système immunitaire. Il a été démontré que le gingembre, un antiviral naturel, est efficace contre divers virus, notamment le virus de la grippe et le virus respiratoire syncytial (VRS).

Les antiviraux à base de plantes activent le système immunitaire tout en inhibant la multiplication des virus. Ils parviennent à cela par différentes méthodes. Certains des mécanismes d'action les plus courants comprennent:

De nombreuses herbes antivirales contiennent des composés spécifiques qui ont été démontrés comme étant efficaces pour prévenir la réplication des virus. Ces substances peuvent empêcher le virus de se fixer aux cellules hôtes, de pénétrer dans la membrane cellulaire, ou de se reproduire à l'intérieur de la cellule hôte en interférant avec sa capacité à accomplir ces actions. Par exemple, certaines herbes contiennent des composés qui peuvent inhiber l'activité de l'enzyme polymérase virale, nécessaire à la réplication virale.

Certains antiviraux à base de plantes peuvent stimuler directement le système immunitaire, augmentant ainsi la capacité du corps à se défendre contre les maladies. Des herbes telles que l'échinacée et l'astragale, par exemple, ont le potentiel de renforcer la fonction des cellules tueuses naturelles et d'augmenter la production de cytokines, qui sont des composants critiques des molécules de communication du système immunitaire.

Certains antiviraux à base de plantes peuvent tuer directement les virus. Il a été démontré que l'huile d'arbre à thé possède un effet virucide direct contre divers virus, dont le virus de l'herpès simplex et le virus de la grippe, entre autres.

En ce qui concerne la prévention et le traitement des infections virales, l'utilisation d'antiviraux à base de plantes présente de nombreux avantages potentiels dont les patients peuvent bénéficier. Certains de ces avantages comprennent:

Les antiviraux à base de plantes sont des produits chimiques naturels issus des plantes et, dans la plupart des cas, ne sont pas considérés comme posant de risques pour la santé. En comparaison avec les médicaments pharmaceutiques traditionnels, qui sont souvent accompagnés de nombreux effets secondaires indésirables, ces produits ont un potentiel réduit d'effets indésirables.

L'échinacée et l'ail ne sont que deux exemples parmi de nombreux antiviraux naturels qui peuvent renforcer le système immunitaire et améliorer sa capacité à se défendre contre les infections.

De nombreux antiviraux à base de plantes contiennent des composés spécifiques ayant démontré une activité antivirale contre des virus spécifiques. Les médicaments traditionnels, qui peuvent avoir une plus large gamme d'activité, peuvent ne pas être aussi efficaces dans le traitement des infections virales que cette activité ciblée, qui peut être plus efficace dans le traitement des infections virales.

En comparaison avec les médicaments antiviraux traditionnels, les antiviraux à base de plantes ont généralement des coûts moins élevés, ce qui en fait une option plus économique tant pour la prévention que pour le traitement des infections virales.

En conclusion, les antiviraux à base de plantes sont des produits chimiques naturels dérivés des plantes qui ont démontré des effets antiviraux. Ces substances ont montré leur capacité à inhiber la croissance de certains virus. Elles sont fréquemment utilisées en association avec d'autres traitements, tels que des médicaments antiviraux, car elles sont efficaces à la fois dans la prévention et le traitement des infections virales. Les antiviraux à base de plantes luttent contre les infections virales de différentes manières, notamment en renforçant le système immunitaire et en interférant avec la multiplication des virus. Ils peuvent être utilisés à la fois pour prévenir et traiter les infections virales. Ils ont le potentiel d'offrir de nombreux avantages, notamment un risque réduit d'effets indésirables, une meilleure fonction du système immunitaire, une action antivirale économique et une activité antivirale ciblée. Cependant, il est important de noter que les antiviraux à base de plantes ne remplacent pas les soins médicaux, et les patients doivent toujours discuter de leur utilisation avec un membre de leur équipe de soins de santé avant d'utiliser des remèdes à base de plantes.

Des recherches en cours sont menées pour étudier l'efficacité et la sécurité des antiviraux à base de plantes, et ces recherches nous aideront à mieux comprendre les avantages et les limites possibles de ces antiviraux à base de plantes. L'utilisation des antiviraux à base de plantes doit être examinée dans le contexte de la santé générale et de l'histoire médicale d'un individu. Les antiviraux à base de plantes offrent une alternative prometteuse ou un complément thérapeutique dans la prévention et le traitement des infections virales.

Présentation des différents types d'antiviraux à base de plantes

Les antiviraux à base de plantes sont des substances naturelles produites à partir de plantes et qui ont montré des activités antivirales. Ils ont une longue histoire d'application dans le traitement et la prévention des infections virales en médecine conventionnelle.

Dans cette section, nous passerons en revue un aperçu général des nombreux types d'antiviraux à base de plantes, y compris leurs caractéristiques, leurs applications et leurs avantages potentiels.

L'échinacée est une plante utilisée depuis des siècles en médecine conventionnelle pour renforcer le système immunitaire et traiter divers maux, dont les infections virales. Ces dernières années, elle est devenue de plus en plus populaire comme traitement naturel pour la grippe et le rhume.

L'échinacée est connue pour contenir plusieurs composés différents, dont certains ont montré des effets immunomodulateurs et antiviraux. Ces produits chimiques comprennent des polysaccharides, des glycoprotéines et des alkylamides. Il a été démontré qu'elle augmente la synthèse de cytokines, qui sont des médiateurs importants de la réponse immunitaire, et stimule l'activité de cellules immunitaires telles que les cellules tueuses naturelles, les macrophages et les lymphocytes T. De plus, l'échinacée contient plusieurs antioxydants qui protègent le corps des effets dommageables du stress oxydatif et de l'inflammation.

L'échinacée a une longue histoire d'utilisation comme remède contre diverses maladies et affections, notamment la prévention et le traitement des infections virales telles que le rhume et la grippe. Elle a également été utilisée pour traiter d'autres infections respiratoires, telles que la bronchite et la sinusite, ainsi que les infections des voies urinaires et les infections cutanées. L'échinacée peut être achetée sous différentes formes, notamment en gélules, en comprimés, en teintures et en tisanes.

Il a été démontré que l'échinacée augmente la production de cytokines, qui sont d'importants médiateurs de la réponse immunitaire, ainsi que l'activité de cellules immunitaires telles que les macrophages, les cellules tueuses naturelles et les lymphocytes T. De plus, l'échinacée a été prouvée pour renforcer l'activité de cellules immunitaires telles que les cellules tueuses naturelles et les lymphocytes T. Cela contribue à renforcer les défenses naturelles du corps contre les infections virales et d'autres agents pathogènes de l'environnement.

Il a été démontré que l'échinacée est utile pour réduire la gravité des symptômes et la durée de la souffrance de la grippe et du rhume. Selon les conclusions de plusieurs études différentes, l'échinacée peut contribuer à soulager des symptômes tels que la toux, la congestion et les maux de gorge, et elle a également le potentiel d'aider à prévenir les infections récurrentes.

L'échinacée est connue pour contenir plusieurs antioxydants qui protègent le corps des effets dommageables des radicaux libres et de l'inflammation. Cela peut aider à réduire l'inflammation dans tout le corps et à prévenir les maladies chroniques telles que le cancer et les maladies cardiaques.

Il a été démontré que l'échinacée accélère le processus de guérison des plaies et réduit la probabilité d'infection. Sa capacité à renforcer le système immunitaire et à réduire l'inflammation, ainsi que ses propriétés antibactériennes et antivirales, pourraient être responsables de cet effet.

Il a été démontré que l'échinacée est efficace dans le traitement de divers problèmes cutanés, tels que l'eczéma, le psoriasis et l'acné. En raison de ses propriétés anti-inflammatoires et antibactériennes, elle pourrait contribuer à réduire l'inflammation et à stopper la croissance des germes, deux facteurs qui pourraient contribuer à ces affections.

Bien que l'échinacée soit considérée comme sûre pour la grande majorité des personnes, elle a été associée à divers événements indésirables chez certaines personnes, notamment des réactions allergiques, des troubles gastro-intestinaux et des maux de tête. Il est également possible qu'elle interagisse négativement avec d'autres médicaments, en particulier les immunosuppresseurs et certains traitements de chimiothérapie. Avant d'utiliser de l'échinacée, il est essentiel de discuter du complément avec un professionnel de la santé qualifié, en particulier si vous êtes enceinte ou que vous allaitez, ou si vous prenez actuellement des médicaments.

En raison des effets bénéfiques qu'elle a sur la santé, l'ail est cultivé et utilisé depuis l'Antiquité. Il appartient à la famille des Alliacées, qui comprend également les échalotes, les oignons et les poireaux. L'allicine, les composés soufrés et les flavonoïdes ne sont que quelques-uns des composants que l'on trouve en concentrations élevées dans l'ail. Ces composés ont été démontrés comme ayant divers effets positifs sur la santé humaine.

Les propriétés thérapeutiques de l'ail sont dues à la présence de plusieurs composés que l'on ne trouve qu'à l'ail. L'ail tire son odeur intense d'une molécule appelée allicine, qui est également l'un des composés actifs les plus importants de l'ail. Il a été établi qu'il est efficace contre les infections bactériennes, virales et fongiques. L'ail contient divers composés soufrés, dont le disulfure de diallyle et la S-allyl cystéine, qui agissent tous ensemble pour lui conférer ses propriétés thérapeutiques. Les antioxydants tels que les flavonoïdes, qui comprennent la quercétine et la kaempférol, aident le corps à se défendre contre les effets dommageables du stress oxydatif et de l'inflammation.

L'ail a une longue histoire d'utilisation pour ses prétendus bienfaits médicaux, et des recherches scientifiques récentes ont confirmé bon nombre des fonctions traditionnellement attribuées à l'ail. Il est disponible sous plusieurs formes, notamment de l'ail frais, des compléments d'ail et de l'huile d'ail.

Il a été démontré que l'ail a la capacité d'améliorer l'activité de cellules immunitaires telles que les macrophages et les cellules tueuses naturelles. Ces cellules jouent un rôle important dans la défense du corps contre les infections virales et autres agents pathogènes.

Les personnes souffrant d'hypertension peuvent bénéficier de la capacité de l'ail à abaisser leur pression artérielle. Selon les résultats de nombreuses études différentes, la prise de compléments d'ail peut réduire de manière significative la pression artérielle systolique et diastolique.

La recherche a révélé que la consommation d'ail peut contribuer à réduire les taux de cholestérol chez les personnes qui ont déjà des taux élevés. Les compléments d'ail ont montré, dans de nombreuses études, qu'ils entraînaient des réductions du cholestérol total, du cholestérol LDL et des triglycérides.

Il a été démontré que l'ail présente divers avantages pour la santé du système cardiovasculaire. Il a le potentiel de réduire la pression artérielle, les taux de cholestérol et de prévenir la formation de caillots sanguins, autant de facteurs de risque de maladies cardiovasculaires telles que les crises cardiaques et les AVC.

Il a été démontré que l'ail possède des propriétés anticancéreuses, et ces propriétés pourraient contribuer à prévenir le développement de plusieurs types de cancer différents, notamment le cancer colorectal, du sein et de la prostate.

L'ail a été traditionnellement utilisé pour traiter les infections respiratoires, telles que le rhume et la grippe. Il a été démontré qu'il possède des caractéristiques antivirales, ce qui suggère qu'il pourrait contribuer à réduire la gravité de ces maladies et à en raccourcir la durée.

Diverses affections cutanées, dont l'acné et le pied d'athlète, ont été traitées avec succès avec de l'ail par le passé. Grâce à ses propriétés antibactériennes et antifongiques, il peut contribuer à inhiber la croissance des bactéries et des champignons, tous deux connus pour être associés à ces troubles.

Il a été démontré que l'ail accélère le processus de guérison des plaies et peut également contribuer à prévenir les infections. Ses caractéristiques antibactériennes peuvent aider à réduire le risque d'infection, et ses propriétés anti-inflammatoires peuvent contribuer à réduire l'inflammation et à favoriser la guérison. La combinaison de ces deux types de caractéristiques peut aider à réduire le risque d'infection.

La recherche a montré que l'ail a plusieurs effets positifs sur le système digestif. Il peut contribuer à réduire l'inflammation dans le tractus digestif, à améliorer la digestion et à prévenir la croissance de bactéries pathogènes dans l'intestin.

Il a été démontré que l'ail améliore les performances sportives et peut contribuer à réduire la fatigue et à augmenter l'endurance. Les capacités antioxydantes de cette substance pourraient aider à réduire les niveaux de stress oxydatif et d'inflammation dans le corps, deux facteurs qui peuvent contribuer à la fatigue et aux lésions musculaires.

L'ail est considéré comme parfaitement sûr pour la grande majorité des personnes, bien que certaines personnes puissent éprouver des réactions indésirables telles que des troubles gastro-intestinaux et des réactions allergiques. Il est également possible qu'il interagisse négativement avec d'autres médicaments, notamment ceux utilisés pour fluidifier le sang ou traiter le VIH. L'ail ne doit pas être utilisé sans en discuter au préalable avec un professionnel de la santé qualifié, en particulier si vous êtes enceinte ou si vous allaitez, ou si vous prenez actuellement des médicaments.

Le sureau est une plante qui est utilisée depuis longtemps pour le traitement de diverses affections médicales. Bien qu'il soit originaire d'Europe, il s'est ensuite naturalisé dans de nombreuses autres régions du monde, notamment en Amérique du Nord. Le sureau est riche en divers produits chimiques, tels que les anthocyanes, les flavonoïdes et les acides phénoliques, tous ayant été démontrés comme ayant divers effets positifs sur la santé humaine.

Le sureau est connu pour avoir une valeur thérapeutique en raison de la présence de divers produits chimiques dans le fruit. Les sureaux sont une sorte de flavonoïdes connus pour leur couleur pourpre foncé distinctive, due aux anthocyanes. Ils sont considérés comme des antioxydants, et ils aident à protéger le corps contre le stress oxydatif et l'inflammation. Le sureau contient également des flavonoïdes, dont certains ont des propriétés antivirales, anti-inflammatoires et antioxydantes. Des exemples de ces flavonoïdes sont la quercétine et la kaempférol. Des acides phénoliques, tels que l'acide caféique et l'acide chlorogénique, sont également présents dans le sureau et ont été démontrés comme ayant des propriétés anti-inflammatoires et antioxydantes.

Le sureau a une longue histoire d'utilisation pour ses prétendus bienfaits médicaux, et des recherches scientifiques récentes ont confirmé bon nombre de ces applications traditionnelles. Il peut être obtenu sous différentes formes, notamment sous forme de compléments alimentaires, de boissons (comme le thé ou les sirops) et de sirop à base de sureau.

Selon plusieurs études scientifiques, le sureau peut renforcer l'activité de cellules immunitaires telles que les cellules tueuses naturelles, qui contribuent à protéger le corps contre les infections virales et d'autres agents pathogènes.

Le sureau a une longue histoire d'utilisation en médecine traditionnelle pour le traitement des symptômes du rhume et de la grippe, et plusieurs études ont montré qu'il était utile à cet égard. Il a été démontré qu'il réduisait l'intensité des symptômes du rhume et de la grippe, notamment la fièvre, la toux et la congestion, ainsi que leur durée.

Des études ont indiqué que les personnes qui ont déjà un taux élevé de cholestérol peuvent bénéficier de la capacité du sureau à réduire leurs taux de cholestérol. Selon les conclusions de plusieurs recherches différentes, la prise de compléments alimentaires de sureau peut réduire le taux de cholestérol total ainsi que le taux de cholestérol LDL.

Il a été établi que le sureau présente de nombreux avantages pour la santé cardiaque. Il peut contribuer à abaisser la tension artérielle, à réduire l'inflammation et à améliorer la circulation sanguine, ce qui peut réduire le risque de maladies cardiovasculaires.

Il a été établi que le sureau présente de nombreux avantages pour la santé de la peau. Il peut contribuer à réduire l'inflammation, à augmenter l'hydratation de la peau et à protéger contre le stress oxydatif, autant de facteurs qui peuvent contribuer à la formation de rides et à d'autres symptômes de vieillissement de la peau.

Le sureau a été identifié comme possédant des propriétés anticancéreuses et il a le potentiel d'aider à prévenir le développement de différents types de cancer, notamment le cancer du sein, du côlon et de la prostate.

Il a été démontré que le sureau présente de nombreux effets positifs sur le système digestif. Il peut contribuer à réduire l'inflammation dans le tractus digestif, à améliorer la digestion et à prévenir la croissance de bactéries pathogènes dans l'intestin.

Il a été démontré que le sureau présente de nombreux effets positifs sur les performances cognitives. Sa capacité à protéger contre le stress oxydatif dans le cerveau, à réduire l'inflammation et à améliorer la circulation sanguine peut contribuer à la santé cérébrale, y compris la mémoire et les fonctions cognitives.

Le sureau a été démontré pour améliorer les performances sportives et peut contribuer à réduire la fatigue et à améliorer l'endurance. Il est possible que les capacités antioxydantes de cette substance contribuent à réduire les niveaux de stress oxydatif et d'inflammation dans le corps, deux facteurs qui peuvent contribuer à la fatigue et aux lésions musculaires.

Il existe des preuves que le sureau a de nombreux effets positifs sur la qualité du sommeil. Il peut contribuer à réduire l'inflammation, à améliorer la circulation sanguine et à favoriser la production de mélatonine, autant de facteurs qui peuvent contribuer à améliorer la qualité du sommeil ainsi que la durée du sommeil.

Le sureau est généralement considéré comme sûr lorsqu'il est consommé à des doses modérées ; cependant, il existe certaines restrictions quant à son utilisation. Il est important de faire preuve de prudence lors de la prise de compléments alimentaires de sureau, car ils ont le potentiel d'interagir négativement avec certains médicaments, notamment les immunosuppresseurs et les diurétiques. Le sureau est quelque chose que les personnes atteintes de maladies auto-immunes ou d'allergies aux plantes de la famille des chèvrefeuilles devraient probablement éviter. Les sureaux qui ne sont pas encore arrivés à maturité ainsi que d'autres parties de la plante, comme les feuilles et les tiges, sont toxiques et ne doivent pas être consommés.

Une plante aux bienfaits médicaux, la réglisse, également connue sous le nom de Glycyrrhiza glabra, est utilisée depuis des siècles. Bien qu'elle soit originaire d'Europe et d'Asie, elle s'est depuis naturalisée dans de nombreuses autres régions du monde. La réglisse est riche en plusieurs composés bioactifs, tels que la glycyrrhizine, les flavonoïdes et les polysaccharides, qui ont tous été associés à divers effets positifs sur la santé humaine.

Les bienfaits thérapeutiques de la réglisse sont dus à la présence de plusieurs composés dans la racine de réglisse. La saveur unique de la racine de réglisse est due à un composé appelé glycyrrhizine, qui a une douceur agréable et se trouve dans la racine de réglisse. Il a été démontré qu'il possède divers effets bénéfiques pour la santé, tels que des propriétés anti-inflammatoires, antivirales et antioxydantes.

La réglisse contient des flavonoïdes tels que la liquiritine et l'isoliquiritine, tous deux ayant démontré des propriétés antioxydantes, anti-inflammatoires et antivirales. La réglisse est également un ingrédient dans des bonbons appelés anis. La réglisse contient des polysaccharides, dont certains ont été démontrés pour moduler le système immunitaire. Un exemple en est l'acide glycyrrhizique, que l'on peut trouver dans la réglisse.

La réglisse a été traditionnellement utilisée pour ses propriétés médicinales, et la recherche moderne a confirmé bon nombre de ses utilisations traditionnelles. La réglisse peut être obtenue sous différentes formes, telles que des compléments de réglisse, du thé à la réglisse et de l'extrait de réglisse.

Historiquement, la réglisse a été utilisée comme remède pour divers troubles respiratoires, notamment la toux et la bronchite. Elle a démontré des caractéristiques expectorantes, qui aident à décomposer le phlegme et les mucosités dans les voies respiratoires afin qu'ils puissent être expulsés plus facilement.

Historiquement, la réglisse a été utilisée comme remède pour divers troubles digestifs, notamment les problèmes de digestion, les brûlures d'estomac et les ulcères d'estomac. Il a été établi qu'elle possède des propriétés anti-inflammatoires, ce qui la rend capable d'aider à réduire l'inflammation qui se produit dans le tractus digestif.

Il a été démontré que la réglisse peut améliorer la fonction immunitaire en stimulant l'activité des cellules immunitaires telles que les cellules tueuses naturelles et les lymphocytes T.

Historiquement, la réglisse a été utilisée dans le traitement de divers troubles cutanés, notamment l'eczéma et le psoriasis. Elle a été montrée pour ses propriétés anti-inflammatoires et antioxydantes, qui peuvent aider à réduire l'inflammation et à protéger contre le stress oxydatif de la peau.

Il a été démontré que la réglisse possède des propriétés adaptogènes, ce qui la rend utile dans le traitement de l'anxiété et du stress. Elle peut réguler les niveaux de l'hormone du stress, le cortisol, qui, s'il n'est pas maîtrisé, peut contribuer à des sentiments de tension et d'inquiétude.

Il a été prouvé que la réglisse contient des caractéristiques antivirales, et ces caractéristiques peuvent aider dans le traitement de diverses maladies virales. Parmi ces infections, on peut citer le virus de l'herpès simplex, le virus de l'immunodéficience humaine (VIH) et le virus de l'hépatite C.

Il a été démontré que la réglisse possède un certain nombre de qualités potentiellement anticancéreuses, et ces caractéristiques peuvent contribuer à prévenir l'apparition de divers types de cancer, notamment le cancer du sein, le cancer du côlon et le cancer de la prostate.

Il a été démontré que la réglisse offre un certain nombre d'avantages potentiels pour la fonction cognitive. La mémoire et l'attention sont deux domaines qui peuvent bénéficier de son utilisation, ainsi que la prévention de la détérioration cognitive liée au vieillissement.

Il a été démontré que la réglisse offre un certain nombre de bénéfices potentiels pour la modulation des hormones. Elle peut aider à réguler les niveaux de cortisol, qui peuvent contribuer aux sentiments de stress et d'anxiété, et peut également aider à réguler les niveaux d'œstrogène chez les femmes.

Il a été démontré que la réglisse offre un certain nombre d'avantages potentiels pour la cicatrisation des plaies. Elle a montré des propriétés anti-inflammatoires ainsi qu'antioxydantes, toutes deux capables d'aider à réduire l'inflammation et d'accélérer le processus de guérison de la peau.

La réglisse peut avoir certains effets positifs sur la santé, mais il existe également des préoccupations potentielles en matière de sécurité qui doivent être prises en considération. Lorsqu'elle est consommée en quantités excessives, le composant appelé glycyrrhizine que l'on trouve dans la réglisse peut entraîner plusieurs effets indésirables, notamment une hypertension artérielle, une hypokaliémie et un œdème. Par conséquent, les compléments de réglisse doivent être utilisés avec une grande prudence, et les personnes souffrant de troubles tels que l'hypertension artérielle, les maladies cardiaques ou les troubles rénaux doivent éviter complètement les compléments de réglisse. La réglisse peut avoir des interactions négatives avec plusieurs médicaments, notamment les corticostéroïdes et les diurétiques ; elle doit donc être utilisée avec une grande prudence chez les patients déjà sous traitement médicamenteux.

Le gingembre est une épice qui est utilisée depuis des centaines d'années en raison des bienfaits thérapeutiques qu'elle offre. Il est originaire d'Asie du Sud-Est, mais s'est depuis naturalisé dans de nombreuses autres parties du monde. Le gingembre contient divers composés, tels que les gingérols, les shogaols et les zingerones, tous ayant démontré être bénéfiques pour la santé de différentes manières.

Le gingembre est connu pour ses divers bienfaits pour la santé en raison de la présence de plusieurs produits chimiques dans la racine. Les gingérols sont un groupe de produits chimiques responsables du goût piquant du gingembre. Ces composés ont également été trouvés pour avoir divers avantages potentiels pour la santé, y compris des effets anti-inflammatoires et antioxydants.

Le gingembre est une racine qui provient de la plante de gingembre. Il a été démontré que les shogaols, un groupe différent de produits chimiques générés lorsque le gingembre est séché ou cuit, possèdent des activités anti-inflammatoires et antioxydantes plus puissantes que les gingérols. Le zingerone est un produit chimique responsable de l'arôme du gingembre et a été prouvé pour offrir divers avantages potentiels pour la santé, y compris des effets anti-inflammatoires et antifongiques. Le zingerone est également responsable de l'odeur du gingembre.

Le gingembre a une longue histoire d'utilisation en médecine traditionnelle, et des recherches récentes ont confirmé bon nombre des utilisations médicales traditionnelles du gingembre. Il est disponible sous plusieurs formes, notamment en compléments de gingembre, en infusion de gingembre et en extrait de gingembre.

Le gingembre a prouvé son utilité pour réduire les nausées et les vomissements causés par diverses affections, notamment les nausées matinales, les nausées provoquées par la chimiothérapie et les nausées et vomissements postopératoires. Cela est dû à la capacité du gingembre à stimuler la libération de sérotonine par l'organisme, ce qui réduit ensuite les sensations de nausée et de vomissement.

Le gingembre est connu pour ses propriétés anti-inflammatoires, et ces caractéristiques peuvent aider à réduire l'inflammation et la douleur associées à divers troubles. Ces affections comprennent l'ostéoarthrite, la polyarthrite rhumatoïde et les douleurs menstruelles.

Le gingembre a été démontré pour offrir des avantages potentiels pour la santé cardiaque en aidant à réduire les taux de cholestérol et à contrôler les taux de sucre dans le sang. Ces bienfaits peuvent être attribués aux propriétés anti-inflammatoires du gingembre et à sa capacité à réguler le taux de sucre dans le sang.

Le gingembre a été utilisé à des fins médicinales pour le traitement des affections respiratoires telles que les rhumes et la grippe depuis l'Antiquité. Il a été démontré qu'il possède des caractéristiques expectorantes, qui aident à décomposer le phlegme et le mucus dans les voies respiratoires pour qu'ils puissent être expulsés plus facilement.

Il a été démontré que le gingembre peut offrir plusieurs avantages potentiels pour la santé digestive. Il peut être bénéfique pour la digestion en augmentant la digestion, en réduisant les ballonnements et les flatulences, et il peut également être utile pour protéger contre les ulcères d'estomac.

Le gingembre a été montré comme ayant des avantages potentiels pour le traitement des migraines. En réduisant l'inflammation et en rétablissant les niveaux de neurotransmetteurs dans le cerveau sous contrôle, il peut rendre les migraines moins sévères et moins fréquentes pour ceux qui en souffrent.

Il a été démontré que le gingembre possède plusieurs propriétés potentielles contre le cancer, et ces caractéristiques peuvent aider à prévenir le développement de plusieurs types de cancer différents, notamment le cancer du côlon, de l'ovaire et du pancréas.

Il existe des preuves que le gingembre peut avoir plusieurs effets positifs sur les performances cognitives. La mémoire et l'attention sont deux domaines qui peuvent bénéficier de son utilisation, ainsi que la prévention de la détérioration cognitive associée au vieillissement.

Il a été démontré que le gingembre peut être utile dans le traitement de la dysfonction érectile en augmentant la quantité de sang qui afflue vers le pénis et en augmentant la production d'oxyde nitrique par le corps.

Il a été démontré que le gingembre peut avoir divers avantages potentiels pour les performances des athlètes. Il s'est avéré efficace pour réduire l'inflammation et les douleurs musculaires, et il peut également aider à améliorer l'endurance et la vitesse.

Le gingembre peut avoir des effets positifs sur votre santé, mais il existe également des inconvénients potentiels et des préoccupations en matière de sécurité dont vous devez être conscient. Les compléments de gingembre peuvent interagir avec certains médicaments, tels que les anticoagulants et les médicaments contre le diabète, et doivent être utilisés avec prudence. Lorsqu'il est ingéré en grandes quantités, le gingembre peut provoquer quelques effets indésirables modérés, notamment des brûlures d'estomac et des douleurs abdominales.

Andrographis est une plante qui est utilisée à des fins médicinales depuis plusieurs siècles dans la médecine traditionnelle en raison des avantages potentiels qu'elle offre pour la santé. Bien qu'elle soit originaire d'Inde et du Sri Lanka, elle s'est depuis naturalisée dans de nombreuses régions du monde. Andrographis contient plusieurs composés, dont l'andrographolide, qui a été démontré dans des études avoir divers effets positifs potentiels sur la santé humaine.

Andrographis est composée de plusieurs composés différents, chacun contribuant aux propriétés médicinales uniques de la plante. L'andrographolide est un composé présent en grande concentration dans l'Andrographis. Il a été démontré qu'il offre plusieurs avantages potentiels pour la santé, notamment des caractéristiques anti-inflammatoires, antioxydantes et antivirales. L'andrographolide est également responsable du goût amer de l'Andrographis.

Andrographis a une longue histoire d'utilisation dans la médecine traditionnelle, et des études récentes ont confirmé de nombreuses applications thérapeutiques qui lui sont traditionnellement attribuées. Andrographis est disponible sous différentes formes, notamment sous forme de compléments alimentaires, d'infusions et de thés. Il est également disponible sous forme d'extrait autonome.

Andrographis est utilisée depuis longtemps comme remède pour divers problèmes respiratoires, notamment le rhume, la grippe et la bronchite. Il a été démontré qu'elle présente le potentiel de nombreux avantages, notamment une réduction de l'intensité et de la durée des infections respiratoires, ainsi qu'une amélioration de la fonction immunitaire.

Andrographis a montré des qualités anti-inflammatoires, et elle peut aider à réduire l'inflammation et la douleur associées à diverses affections, telles que la maladie inflammatoire de l'intestin, la polyarthrite rhumatoïde et l'ostéoarthrite.

Il a été démontré qu'Andrographis présente de nombreux avantages potentiels pour la fonction digestive. Elle peut être bénéfique pour la digestion en favorisant la digestion, en réduisant les ballonnements et les flatulences, et elle peut également être utile pour prévenir les ulcères d'estomac.

Andrographis a une longue histoire d'utilisation comme remède médicinal pour divers problèmes de foie, notamment l'hépatite et la cirrhose. Il a été démontré qu'elle présente des avantages potentiels pour la réduction des lésions hépatiques et l'amélioration de la fonction hépatique.

Selon des recherches récentes, Andrographis a montré des signes prometteurs comme traitement possible pour divers problèmes de peau, notamment l'acné, l'eczéma et le psoriasis. Elle peut être bénéfique pour réduire l'inflammation et contribuer au processus de guérison de la peau.

Andrographis a montré des promesses en tant qu'agent thérapeutique pour diverses maladies virales, notamment le VIH, la grippe et la fièvre de la dengue. Elle a le potentiel d'améliorer la fonction immunitaire tout en inhibant la réplication des virus.

Andrographis a été démontrée pour posséder plusieurs caractéristiques potentielles de lutte contre le cancer, et elle peut aider à prévenir le développement de divers cancers, notamment le cancer du foie, le cancer du côlon et le cancer de la prostate.

Andrographis a montré des signes prometteurs en tant qu'option de traitement pour les patients atteints de diabète de type 2 qui cherchent des moyens de mieux contrôler leur taux de sucre dans le sang. Elle peut aider à améliorer la sensibilité à l'insuline et à réduire les réponses inflammatoires dans le corps.

Il a été démontré qu'Andrographis pourrait avoir des avantages potentiels pour la fonction cognitive du corps. La mémoire et l'attention sont deux domaines qui peuvent bénéficier de son utilisation, ainsi que la prévention de la détérioration cognitive associée au vieillissement.

Andrographis a montré des signes prometteurs en tant qu'agent thérapeutique pour diverses maladies virales, notamment le VIH, la grippe et la fièvre de la dengue. Elle a le potentiel d'améliorer la fonction immunitaire tout en inhibant la réplication des virus.

Andrographis peut avoir des effets positifs sur la santé, mais il existe également des inconvénients potentiels et des préoccupations en matière de sécurité à prendre en compte. Les compléments d'Andrographis peuvent interagir avec certains médicaments, notamment ceux utilisés pour traiter le diabète et les anticoagulants ; par conséquent, ils doivent être utilisés avec prudence si vous prenez déjà l'un de ces médicaments. Andrographis peut avoir des effets indésirables chez certaines personnes, notamment des nausées, des diarrhées et des réactions allergiques. Cela est particulièrement courant chez les enfants. Si vous avez un problème médical ou prenez des médicaments, il est essentiel de discuter de l'utilisation de comprimés ou d'extraits d'Andrographis avec un professionnel de la santé qualifié avant de commencer un traitement avec l'une ou l'autre de ces options.

Les oliviers, ou Olea europaea comme ils sont plus formellement connus dans la communauté scientifique, sont une espèce d'arbre originaire de la région méditerranéenne. La feuille d'olivier est la feuille de l'olivier. La feuille d'olivier est utilisée depuis des siècles pour ses avantages potentiels pour la santé et l'on sait qu'elle contient plusieurs composés, dont l'oléuropéine, qui ont montré avoir plusieurs avantages potentiels pour la santé.

La feuille d'olivier contient différents composés, chacun d'entre eux pouvant contribuer aux bienfaits uniques de la feuille d'olivier pour la santé. L'oléuropéine est un composé que l'on peut trouver en grande quantité dans la feuille d'olivier. Elle a été démontrée pour avoir de nombreux avantages potentiels pour la santé, tels que des caractéristiques anti-inflammatoires, antioxydantes et antibactériennes. Les flavonoïdes, les sécoiridoïdes et les acides phénoliques sont d'autres substances que l'on peut trouver dans les feuilles d'olivier.

La feuille d'olivier a une longue histoire d'utilisation pour ses qualités thérapeutiques, et la recherche scientifique récente a validé bon nombre de ses utilisations traditionnelles. La feuille d'olivier peut être consommée de différentes manières, sous forme de compléments à base de feuilles d'olivier, de thé à la feuille d'olivier et d'extrait de feuille d'olivier.

Il a été prouvé que la feuille d'olivier a des qualités anti-inflammatoires et peut contribuer à réduire l'inflammation associée à diverses maladies, notamment l'arthrite, l'asthme et la maladie inflammatoire de l'intestin.

La feuille d'olivier a montré des avantages potentiels pour la réduction des taux de cholestérol dans le sang. Elle a démontré son efficacité pour réduire les taux de cholestérol LDL tout en augmentant les taux de cholestérol HDL, ce qui peut contribuer à réduire le risque de développer des maladies cardiovasculaires.

Selon plusieurs études scientifiques, l'extrait de feuille d'olivier montre un potentiel pour renforcer le système immunitaire. Il pourrait contribuer à stimuler la production de globules blancs, qui sont responsables de la défense contre les infections et les troubles.

Il a été démontré que la feuille d'olivier pourrait être bénéfique dans le traitement de diverses maladies, notamment les infections bactériennes et virales. Elle a le potentiel d'empêcher la multiplication de bactéries et de virus dangereux, y compris ceux responsables des infections respiratoires et de la gastro-entérite.

Selon des recherches récentes, l'extrait de feuille d'olivier montre un potentiel pour aider à la gestion du diabète. Il pourrait contribuer à réduire le risque de développer un diabète de type 2 en abaissant les taux de sucre dans le sang et en améliorant la sensibilité à l'insuline.

La feuille d'olivier a été prouvée pour avoir plusieurs caractéristiques potentielles de lutte contre le cancer, et elle peut aider à prévenir le développement de divers types de cancer, notamment le cancer du sein, du côlon et de la prostate.

La feuille d'olivier a démontré sa capacité à protéger contre les troubles neurodégénératifs, notamment la maladie d'Alzheimer et la maladie de Parkinson. Elle peut défendre contre l'inflammation et les dommages neuronaux, ainsi qu'aider à réduire les effets du stress oxydatif dans le cerveau.

Il a été démontré que la feuille d'olivier pourrait avoir des avantages potentiels pour améliorer la santé de la peau. Elle peut aider à réduire l'inflammation et à protéger contre le stress oxydatif dans la peau, ce qui peut contribuer à améliorer l'apparence de la peau et à réduire le risque de développer un cancer de la peau.

L'extrait de feuille d'olivier a été démontré pour avoir des avantages potentiels pour la santé, notamment la prévention des maladies cardiaques. Il peut contribuer à réduire l'inflammation des artères et le stress oxydatif, ainsi qu'à abaisser la pression artérielle et à améliorer le profil lipidique.

Il a été démontré que la feuille d'olivier pourrait avoir des avantages potentiels pour renforcer la santé osseuse, y compris la prévention de la perte osseuse. Elle peut contribuer à augmenter la densité minérale osseuse et à réduire le risque d'ostéoporose.

Bien que la feuille d'olivier ait plusieurs avantages potentiels pour la santé, il y a des limitations et des précautions à prendre en compte. Les suppléments de feuille d'olivier ont le potentiel d'interagir négativement avec divers médicaments, notamment ceux utilisés pour le traitement du diabète et les anticoagulants ; par conséquent, leur utilisation dans ces cas est fortement déconseillée. L'extrait de feuille d'olivier a été lié dans plusieurs études à divers effets indésirables, notamment la diarrhée et les réactions allergiques. Si vous avez un problème de santé ou si vous prenez des médicaments, il est essentiel de discuter de l'utilisation de suppléments ou d'extraits de feuille d'olivier avec un professionnel de la santé qualifié avant de commencer un traitement avec l'une ou l'autre de ces options.

La millepertuis, également connue sous le nom d'Hypericum perforatum, est une plante qui a une longue histoire d'utilisation comme remède thérapeutique en raison des bénéfices potentiels qu'elle offre pour la santé. Bien qu'elle soit originaire d'Europe, elle est actuellement produite et cultivée dans de nombreux pays à travers le monde. Les possibles avantages pour la santé de la millepertuis sont dus à la présence de plusieurs composés dans la plante, les plus remarquables étant l'hypéricine et l'hypéroforine.

La millepertuis contient plusieurs composés responsables de ses potentiels avantages pour la santé. L'hypéricine et l'hypéroforine sont deux substances présentes en concentrations élevées dans la millepertuis. Ces composés ont démontré avoir plusieurs avantages potentiels pour la santé, et leur présence dans la plante est responsable de leurs concentrations élevées. D'autres composés présents dans la millepertuis comprennent des flavonoïdes, des xanthones et des catéchines.

La millepertuis a été traditionnellement utilisée pour ses bienfaits thérapeutiques, et des recherches menées plus récemment ont confirmé bon nombre des utilisations traditionnelles de cette plante. La millepertuis se présente sous plusieurs formes, notamment en compléments alimentaires de millepertuis, en infusion de millepertuis et en extrait de millepertuis.

Il a été démontré que l'utilisation de la millepertuis en tant que traitement potentiel de la dépression légère à modérée peut être bénéfique. Elle peut aider à augmenter les niveaux des neurotransmetteurs sérotonine, dopamine et noradrénaline, qui sont liés à la régulation de l'humeur.

Il a été démontré que la millepertuis peut être bénéfique pour réduire les sensations d'anxiété. Elle peut contribuer à soulager les sentiments de stress et de tension, favorisant ainsi la détente.

La millepertuis a été traditionnellement utilisée pour traiter les affections cutanées, notamment les plaies, les brûlures et les piqûres d'insectes. Elle peut aider à réduire l'inflammation et accélérer la cicatrisation des plaies.

Il a été démontré que la millepertuis peut être bénéfique dans le traitement des symptômes de la ménopause, tels que les bouffées de chaleur et les fluctuations de l'irritabilité. Elle peut contribuer à rétablir un équilibre hormonal sain et à atténuer la gravité des symptômes associés à la ménopause.

Il a été démontré que la millepertuis a la capacité d'améliorer la fonction cognitive de diverses manières, notamment la mémoire et la concentration. Elle peut contribuer à améliorer la fonction des cellules cérébrales ainsi que la circulation sanguine vers le cerveau.

Il a été prouvé que la millepertuis peut être utile dans le traitement du trouble affectif saisonnier (SAD), une forme de dépression provoquée par le changement de saison. Elle s'est avérée utile pour réguler les niveaux de neurotransmetteurs liés à la régulation de l'humeur, ainsi que pour réduire les symptômes de la dépression associée au SAD.

La millepertuis a été démontrée avoir des avantages potentiels pour la protection contre les maladies neurodégénératives, telles que la maladie d'Alzheimer et la maladie de Parkinson. Elle peut contribuer à réduire l'inflammation et le stress oxydatif dans le cerveau, ainsi qu'à protéger les neurones contre les dommages.

Le trouble obsessionnel-compulsif (TOC) est une maladie anxieuse qui peut être traitée avec la millepertuis, qui s'est avérée avoir des avantages potentiels. Elle peut être utile pour réduire les symptômes du TOC, tels que les comportements obsessionnels et les pensées répétitives, qui peuvent être causés par la maladie.

La millepertuis a été démontrée avoir des avantages potentiels pour soulager les douleurs nerveuses, notamment la sciatique et les douleurs neuropathiques, y compris les douleurs liées à la neuropathie diabétique. Elle peut contribuer à réduire l'inflammation et à faciliter la régénération des nerfs.

Il a été démontré que la millepertuis peut avoir des avantages potentiels pour améliorer la fonction immunitaire. Elle peut contribuer à stimuler le développement des globules blancs, qui sont responsables de la lutte contre les infections et les troubles.

Bien qu'il existe des preuves que la millepertuis puisse être bénéfique pour la santé, il est essentiel de la consommer avec une extrême prudence et uniquement après avoir consulté un professionnel de la santé qualifié. La millepertuis peut interagir avec plusieurs médicaments, notamment les antidépresseurs, les pilules contraceptives et les anticoagulants. Il est également possible qu'elle entraîne des effets indésirables tels que la bouche sèche, la sensibilité à la lumière et des vertiges.

En ce qui concerne la prévention et le traitement des infections virales, les antiviraux à base de plantes offrent une option prometteuse en tant que thérapie alternative ou complémentaire. Ils ont le potentiel de fournir plusieurs avantages, notamment un risque moindre d'effets indésirables, une amélioration de la fonction du système immunitaire, une action antivirale rentable et une activité antivirale adaptée. De plus, divers antiviraux à base de plantes se sont révélés efficaces contre une large gamme de virus, ce qui leur permet de servir d'outil flexible et potentiellement bénéfique dans la prévention et le traitement des infections virales.

Les antiviraux à base de plantes présentent également certaines limites. Tout d'abord, il est possible que leur efficacité n'ait pas été aussi largement étudiée que celle des médicaments antiviraux classiques, qui ont fait l'objet de nombreuses études cliniques. Deuxièmement, comme la FDA ne réglemente pas les médicaments à base de plantes, il est possible qu'ils aient été altérés ou contaminés de quelque manière que ce soit. Troisièmement, il est possible que certaines personnes développent des réactions allergiques ou d'autres effets indésirables lorsqu'elles utilisent des traitements à base de plantes. Il est également important de noter que l'efficacité des antiviraux à base de plantes peut varier en fonction de plusieurs facteurs, notamment le type de virus ciblé, le stade de l'infection et l'état de santé général et la fonction du système immunitaire de l'individu.

Importance de l'utilisation des antiviraux à base de plantes en conjonction avec d'autres traitements

Alors que les individus recherchent des approches non traditionnelles pour la prévention et le traitement des infections virales, l'utilisation d'antiviraux à base de plantes devient de plus en plus courante. Même si les antiviraux à base de plantes peuvent avoir certains effets positifs, il est essentiel de garder à l'esprit qu'ils ne sont en aucun cas destinés à remplacer les médicaments conventionnels. Dans cette section, nous parlerons de l'importance de prendre des antiviraux à base de plantes en conjonction avec d'autres types de traitement.

Les antiviraux à base de plantes ont le potentiel d'offrir de nombreux avantages pour la santé, notamment l'amélioration de la fonction immunitaire, la réduction de la réponse inflammatoire et l'élimination des infections virales. Ils sont souvent utilisés comme alternative non pharmaceutique aux médicaments classiques, qui peuvent souvent entraîner de nombreux effets indésirables potentiels et ne pas être efficaces contre toutes les formes d'infections virales.

Les compléments alimentaires, les thés et les extraits sont quelques-unes des formes sous lesquelles les antiviraux à base de plantes peuvent être pris pour lutter contre les infections virales. Ils sont souvent moins chers que les médicaments classiques et plus facilement accessibles.

Même si les antiviraux à base de plantes ont le potentiel d'être bénéfiques, il est essentiel de se rappeler que pour qu'ils soient efficaces, ils doivent être utilisés en association avec d'autres traitements. Voici quelques explications :

Les infections virales peuvent aller de relativement bénignes à potentiellement mortelles, et en fonction de la gravité de la maladie, un traitement médical traditionnel peut être nécessaire pour prévenir les complications et accélérer le processus de guérison. Même si les antiviraux à base de plantes ont le potentiel d'être bénéfiques, il est possible qu'ils ne soient pas suffisants pour traiter les infections graves.

Les antiviraux pharmaceutiques sont des traitements qui ciblent le virus lui-même pour traiter les infections virales. Ces médicaments peuvent être utilisés pour traiter les infections virales. Ils parviennent à cela en empêchant le virus de se multiplier et de se propager à d'autres parties du corps. Les médicaments antiviraux sont souvent utilisés pour le traitement d'infections virales plus graves, telles que le VIH, l'hépatite B et C, et la grippe.

Bien que les antiviraux à base de plantes puissent être efficaces pour renforcer le système immunitaire et lutter contre les infections virales, ils peuvent ne pas être suffisants pour les infections graves. Dans ces cas, le traitement de l'infection et la prévention des complications peuvent nécessiter l'utilisation de médicaments antiviraux.

Les vaccins sont une forme de médecine préventive qui peut aider à prévenir les maladies causées par des virus. Pour être efficaces, ils agissent en induisant le système immunitaire de l'organisme à produire des anticorps efficaces contre certains virus. Ces anticorps peuvent soit aider à éviter l'infection, soit en atténuer la gravité.

Même si les antiviraux à base de plantes ont le potentiel d'être bénéfiques pour la prévention des infections virales, il est possible qu'ils ne soient pas suffisamment efficaces pour traiter toutes les souches de virus. En ce qui concerne la prévention de certaines maladies virales, telles que la grippe, l'hépatite B et le papillomavirus humain (HPV), les vaccins peuvent offrir une méthode plus ciblée et plus efficace.

Les traitements qui peuvent aider à réduire les symptômes et à favoriser les processus naturels de guérison de l'organisme sont ce que l'on entend par "soins de soutien". Cela peut comprendre des éléments tels que le repos, l'hydratation, le soulagement de la douleur et la nutrition, entre autres.

Bien que les antiviraux à base de plantes puissent contribuer à renforcer le système immunitaire et à lutter contre les infections virales, ils peuvent ne pas être suffisants pour traiter les symptômes associés aux infections graves. Les soins de soutien peuvent contribuer à la gestion des symptômes et à la promotion de la guérison, deux éléments extrêmement importants pour réduire le risque de complications et améliorer la santé globale.

La thérapie combinée est une méthode de traitement d'un patient avec plus d'un traitement en même temps ou dans un certain ordre afin d'obtenir de meilleurs résultats que ce qui serait possible avec un seul traitement. La thérapie combinée peut être particulièrement utile dans le contexte des infections virales car elle peut à la fois éviter la résistance virale et améliorer l'efficacité des traitements individuels. Dans cette section, nous examinerons l'importance de l'utilisation d'antiviraux à base de plantes en combinaison avec d'autres thérapies et pourquoi il peut être plus efficace d'utiliser une thérapie combinée pour traiter les infections virales.

La thérapie combinée présente de nombreux avantages significatifs, l'un des plus importants étant sa capacité à éviter la résistance virale. Lorsqu'un virus subit une mutation en tant que mécanisme de défense contre un traitement, ce phénomène est appelé résistance virale. L'utilisation de plusieurs traitements qui ciblent différents aspects du virus peut réduire la probabilité de résistance virale.

La thérapie combinée peut être utilisée, par exemple, dans le traitement de l'hépatite C. Ce type de traitement peut impliquer l'utilisation de plusieurs médicaments antiviraux qui attaquent différentes étapes du cycle de vie du virus. Cette stratégie peut réduire la probabilité que le virus développe une résistance et augmenter la probabilité d'obtenir une réponse virologique soutenue, également appelée RVS. La RVS est définie comme l'absence de virus détectable dans le sang six mois après l'administration du traitement.

La thérapie combinée peut également améliorer l'efficacité des traitements individuels. Il est possible que plusieurs traitements agissent ensemble pour produire un effet synergique, ce qui signifie simplement que le bénéfice global est plus important que la somme des effets produits par chaque traitement individuellement.

Par exemple, une étude publiée dans le Journal of Ethnopharmacology indiquait que le traitement de la grippe par une combinaison de zanamivir (un médicament antiviral classique) et d'Andrographis paniculata était plus efficace que le traitement de la maladie par l'un ou l'autre des traitements individuellement. La combinaison d'Andrographis paniculata et de zanamivir a entraîné une réduction plus importante de la charge virale et une récupération plus rapide des symptômes.

Il est possible que l'utilisation de plusieurs thérapies contribue à réduire les effets indésirables provoqués par chaque traitement particulier. Certains traitements classiques des infections virales peuvent entraîner des effets indésirables majeurs, tels que des nausées, des vomissements et de la fatigue. Ces symptômes peuvent parfois même être mortels. Il est possible que la dose de chaque traitement puisse être réduite si plusieurs traitements étaient combinés en un seul. Cela entraînerait moins d'effets indésirables.

Le terme "effets synergiques" désigne le phénomène selon lequel l'effet combiné de deux ou plusieurs traitements est supérieur à la somme des effets produits par chaque traitement individuellement. En ce qui concerne la lutte contre les infections virales, la prise de différents traitements en même temps peut provoquer des effets synergiques, ce qui peut augmenter l'efficacité de chaque traitement individuel. Dans cette section, nous explorerons l'importance des effets synergiques dans le traitement des infections virales ainsi que les avantages de l'utilisation d'antiviraux à base de plantes en combinaison avec d'autres traitements.

Il est possible d'augmenter l'efficacité globale de chaque traitement en combinant des médicaments qui agissent selon des modes d'action distincts. Par exemple, associer un médicament antiviral à un immunomodulateur peut améliorer la réponse du système immunitaire au virus et renforcer l'effet antiviral du médicament.

Selon les résultats d'une étude publiée dans le Journal of Medical Virology, le traitement de l'hépatite C avec une combinaison du médicament antiviral ribavirine et de l'immunomodulateur interféron-alpha était plus efficace que le traitement de la maladie avec l'un ou l'autre traitement seul. La thérapie combinée a entraîné un taux plus élevé de réponse virologique soutenue (RVS), c'est-à-dire l'absence de virus détectable dans le sang six mois après le traitement. C'est la norme de référence pour mesurer le succès du traitement.

Il est possible de réduire la probabilité de développement d'une résistance virale en utilisant plusieurs thérapies qui attaquent l'infection sous différents angles. Lorsqu'un virus subit une mutation en tant que mécanisme de défense contre un traitement, ce phénomène est appelé résistance virale. Il est moins probable que le virus développe une résistance à l'ensemble des traitements si de nombreuses thérapies sont utilisées, chacune ciblant une étape distincte du cycle de vie du virus.

Par exemple, la thérapie combinée du VIH peut impliquer l'utilisation d'une combinaison de médicaments antirétroviraux qui ciblent plusieurs étapes du cycle de vie viral. Cette stratégie peut augmenter la possibilité de suppression virale à long terme tout en réduisant simultanément le risque que les virus développent une résistance au traitement.

L'utilisation d'une combinaison de traitements plutôt que d'un seul peut également contribuer à réduire les effets indésirables de chaque traitement. Certains traitements classiques des infections virales peuvent entraîner des effets indésirables majeurs, tels que des nausées, des vomissements et de la fatigue. Ces symptômes peuvent parfois même mettre la vie en danger. Il est possible que la dose de chaque traitement puisse être réduite si plusieurs traitements étaient combinés en un seul.

Depuis l'Antiquité, les personnes se sont tournées vers les antiviraux à base de plantes comme traitement des maladies virales. On pense souvent qu'ils sont une alternative naturelle aux médicaments antiviraux traditionnels, qui pourraient avoir des effets indésirables et contribuer à l'évolution de virus résistants à certains médicaments. Ces dernières années, la recherche a montré que les antiviraux à base de plantes pourraient jouer un rôle dans l'amélioration de la fonction immunitaire. Cette amélioration de la fonction immunitaire peut contribuer à prévenir et à traiter les infections virales. Dans cet essai, nous discuterons de la manière dont les antiviraux à base de plantes peuvent améliorer la fonction immunitaire et pourquoi il est important de les utiliser en association avec d'autres traitements pour les infections virales.

Les antiviraux à base de plantes sont efficaces car ils ciblent plusieurs étapes du processus de réplication virale. Par exemple, ils empêchent les virus d'entrer dans les cellules hôtes, ils arrêtent la réplication des virus et ils renforcent la fonction immunitaire. L'une des manières les plus importantes dont les antiviraux à base de plantes peuvent être efficaces dans le traitement des infections virales est qu'ils peuvent améliorer la réponse du système immunitaire. Il a été démontré que certains antiviraux à base de plantes peuvent renforcer le système immunitaire. Cela peut contribuer à prévenir les infections virales et à renforcer la capacité du corps à lutter contre les infections virales.

Par exemple, l'échinacée a été prouvée pour augmenter l'activité des cellules immunitaires telles que les macrophages et les cellules tueuses naturelles. Ces cellules sont essentielles pour reconnaître et éliminer les virus dans le corps. L'ail contient des produits chimiques qui peuvent stimuler l'activité des cellules immunitaires et favoriser la création d'anticorps, ce qui aide à tuer les virus. L'ail est utilisé depuis des siècles comme remède traditionnel pour une large gamme de maladies. Andrographis a été montré pour stimuler la production d'interféron, une protéine qui aide à prévenir la réplication et la propagation des virus.

Il a été démontré que plusieurs antiviraux à base de plantes, en plus de renforcer le système immunitaire, ont également des avantages antioxydants et anti-inflammatoires. Les antioxydants ont prouvé leur efficacité dans la réduction du stress oxydatif ainsi que de l'inflammation, tous deux liés aux infections virales. Les antiviraux à base de plantes peuvent aider à renforcer la capacité du corps à lutter contre les virus en améliorant la fonction immunitaire et en réduisant le stress oxydatif et l'inflammation.

Les thérapies médicales traditionnelles pour les infections virales peuvent s'accompagner de divers effets secondaires désagréables, tels que des troubles gastro-intestinaux, des maux de tête et des nausées. Ces conséquences indésirables peuvent être préoccupantes, voire amener le patient à interrompre son traitement. En revanche, lorsqu'ils sont utilisés avec des traitements conventionnels, les antiviraux à base de plantes ont le potentiel de réduire la gravité de certains de ces effets indésirables.

Lors du traitement des infections virales, les médicaments conventionnels sont généralement utilisés en combinaison avec des antiviraux à base de plantes en tant que traitement complémentaire. Ils atteignent leurs objectifs en inhibant des étapes spécifiques de la réplication virale et en renforçant la fonction immunitaire, contribuant ainsi à réduire le risque d'infections virales et à accélérer leur traitement. Les antiviraux à base de plantes, lorsqu'ils sont associés aux traitements médicaux traditionnels, ont le potentiel d'offrir une stratégie de traitement plus complète et plus fructueuse contre les infections virales.

Les médicaments antiviraux et autres traitements conventionnels des infections virales, tels que les antibiotiques, sont parfois accompagnés d'effets secondaires indésirables. Ces effets indésirables peuvent aller du relativement bénin, comme des troubles gastro-intestinaux, au plus grave, comme une atteinte hépatique. Il est possible que les effets indésirables des traitements conventionnels soient si graves que le patient soit contraint d'interrompre son traitement dans certains cas.

Les antiviraux à base de plantes pourraient être en mesure de réduire certains des effets négatifs associés à l'utilisation de médicaments traditionnels pour traiter les infections virales. Par exemple, certains antiviraux à base de plantes peuvent être moins susceptibles de provoquer des troubles gastro-intestinaux ou une toxicité hépatique que les médicaments antiviraux conventionnels. Les antiviraux à base de plantes peuvent améliorer l'observance du traitement et réduire la charge globale des infections virales, car ils diminuent la probabilité de ressentir des effets indésirables.

Il a été démontré que l'ail, un antiviral à base de plantes courant, peut atténuer les effets négatifs associés aux médicaments antiviraux conventionnels. Les patients qui ont pris de l'ail en association avec un traitement antiviral traditionnel ont présenté moins d'effets indésirables, tels que des diarrhées et des douleurs abdominales, par rapport aux patients qui n'ont pris que le médicament conventionnel. Cela suggère que l'ail pourrait contribuer à réduire les effets indésirables sur le tractus gastro-intestinal associés aux médicaments antiviraux traditionnels.

Le gingembre est une autre plante antivirale ayant le potentiel de atténuer les effets négatifs des médicaments conventionnels. Le gingembre a démontré des effets anti-inflammatoires, ce qui signifie qu'il peut contribuer à réduire l'inflammation liée aux infections virales ainsi que les effets négatifs des traitements traditionnels. De plus, le gingembre a montré des effets anti-nauséeux, ce qui peut aider à réduire les nausées associées à certains médicaments antiviraux.

Un autre antiviral à base de plantes qui peut aider à réduire les effets négatifs des médicaments conventionnels est la réglisse, qui peut être achetée en ligne. Il a été démontré que la réglisse a des actions anti-inflammatoires, ce qui peut contribuer à réduire l'inflammation provoquée par les infections virales ainsi que les effets négatifs des traitements traditionnels. De plus, des recherches ont révélé que la réglisse a des propriétés hépatoprotectrices, ce qui signifie qu'elle peut contribuer à protéger le foie contre les dommages pouvant être causés par l'utilisation de certains médicaments antiviraux.

Les traitements combinés des infections virales peuvent bénéficier de l'utilisation d'antiviraux à base de plantes en tant que composante additionnelle. L'utilisation d'antiviraux à base de plantes en conjonction avec des traitements conventionnels peut être bénéfique pour plusieurs raisons, notamment les suivantes :

Le système immunitaire peut être renforcé grâce aux antiviraux à base de plantes, ce qui peut être utile à la fois dans la prévention et le traitement des infections virales. Les antiviraux à base de plantes, lorsqu'ils sont utilisés en conjonction avec des traitements conventionnels, ont le potentiel d'accroître la capacité du système immunitaire à lutter contre les infections virales.

Il est possible que certains antiviraux à base de plantes puissent contribuer à atténuer les désagréments provoqués par les traitements conventionnels. Par exemple, une étude publiée dans la revue BMC Complementary and Alternative Medicine a montré qu'une combinaison de chardon-Marie et d'interféron-alpha (un traitement conventionnel de l'hépatite C) réduisait les effets secondaires de l'interféron-alpha.

En association avec les traitements conventionnels, l'utilisation d'antiviraux à base de plantes peut contribuer à réduire les effets secondaires, ce qui peut améliorer la qualité de vie globale et favoriser la guérison.

Il est possible que l'utilisation de certains antiviraux à base de plantes en combinaison avec des traitements conventionnels entraîne des effets synergiques. Par exemple, une étude publiée dans le Journal of Ethnopharmacology a indiqué que le traitement de la grippe par une combinaison de zanamivir (un médicament antiviral conventionnel) et d'Andrographis paniculata était plus efficace que le traitement de la maladie avec l'un ou l'autre de ces traitements individuellement.

L'utilisation d'antiviraux à base de plantes en conjonction avec des traitements conventionnels a le potentiel d'améliorer l'efficacité des deux traitements, ce qui peut entraîner de meilleurs résultats pour le patient.

En conclusion, les antiviraux à base de plantes ont le potentiel d'être bénéfiques à la fois dans la prévention des infections virales et dans leur traitement ; cependant, ils doivent être utilisés en association avec d'autres traitements. Les traitements conventionnels peuvent être nécessaires pour les infections graves, et une combinaison de traitements peut être plus efficace que l'utilisation de l'un ou l'autre traitement seul. Les antiviraux à base de plantes peuvent avoir des effets additifs, améliorer la fonction immunitaire et contribuer à atténuer les effets négatifs des médicaments conventionnels. Avant de combiner les antiviraux à base de plantes avec d'autres thérapies, il est essentiel de discuter de votre plan de traitement avec un professionnel de la santé pour déterminer si la combinaison sera à la fois bénéfique et sans danger dans votre cas.

Chapitre III

Les Meilleurs Antiviraux à Base de Plantes pour Renforcer la Résilience

Un aperçu des antiviraux à base de plantes les plus puissants pour renforcer la résistance aux menaces virales

Pendant des siècles, les infections virales ont été prévenues et traitées avec des antiviraux à base de plantes. Ces traitements naturels peuvent améliorer la réponse immunitaire, réduire l'intensité et la durée des symptômes, et aider à éviter les infections virales. Les meilleurs antiviraux à base de plantes pour renforcer la résistance aux menaces virales seront brièvement discutés dans cette section.

L'échinacée est un antiviral à base de plantes populaire qui est utilisé depuis des siècles pour prévenir et traiter les infections virales. En plus d'améliorer la fonction immunitaire, elle réduit également l'intensité et la durée des symptômes. Les substances présentes dans l'échinacée stimulent les globules blancs, qui sont la principale ligne de défense de l'organisme contre les infections virales.

Un autre antiviral naturel efficace utilisé depuis des siècles pour prévenir et traiter les infections virales est l'ail. Il existe des substances dans l'ail qui ont démontré leur efficacité antivirale, antibactérienne et antifongique. De plus, l'ail peut améliorer la réponse immunitaire et réduire l'intensité et la durée des symptômes.

Depuis des siècles, les gens utilisent le sureau, un antiviral naturel bien connu, pour prévenir et traiter les infections virales, y compris la grippe. Les sureaux contiennent des substances qui ont démontré leur efficacité antivirale et peuvent améliorer les performances du système immunitaire. Le sureau a été démontré pour réduire la gravité et la durée des symptômes de la grippe, et il peut même contribuer à sa prévention.

La réglisse est un puissant antiviral à base de plantes utilisé depuis des siècles pour prévenir et traiter les infections virales. Il existe des substances dans la réglisse qui se sont révélées antivirales, antibactériennes et anti-inflammatoires. La réglisse peut améliorer la réponse immunitaire, ainsi que réduire l'intensité et la durée des symptômes. De plus, elle pourrait aider à éviter les infections virales.

Un antiviral à base de plantes moins connu appelé andrographis est utilisé depuis de nombreuses années pour prévenir et traiter les infections virales. Les composés présents dans l'andrographis ont démontré leur efficacité antivirale, antibactérienne et anti-inflammatoire. Le système immunitaire peut être renforcé par l'andrographis, qui peut également réduire l'intensité et la durée des symptômes. De plus, elle pourrait aider à éviter les infections virales.

En résumé, les antiviraux à base de plantes peuvent être des agents utiles pour renforcer la résistance aux menaces virales. Pour la prévention et le traitement des infections virales, certains des antiviraux à base de plantes les plus puissants comprennent l'échinacée, l'ail, le sureau, la réglisse et l'andrographis. Ces traitements naturels peuvent améliorer la réponse immunitaire, réduire l'intensité et la durée des symptômes, et aider à éviter les infections virales. Les antiviraux à base de plantes peuvent être combinés avec d'autres médicaments et avoir des effets secondaires potentiels, il est donc essentiel d'en discuter avec un professionnel de la santé avant de les utiliser.

Comment chaque antiviral à base de plantes fonctionne et ses avantages

Depuis l'Antiquité, la plante échinacée est utilisée pour traiter une large gamme de maladies, y compris le rhume, la grippe et d'autres maladies virales. Elle est bien connue pour sa capacité à lutter contre les virus et renforcer le système immunitaire. Nous examinerons les propriétés antivirales de l'échinacée et ses avantages potentiels dans cette section.

De nombreuses substances présentes dans l'échinacée ont démontré leur efficacité antivirale. Les plus connues de ces substances sont les alkylamides, l'échinacoside et l'échinacine. L'échinacée est un puissant antiviral à base de plantes en raison de l'interaction de ces produits chimiques, qui empêchent la réplication des virus.

Des études ont montré que l'échinacée peut inhiber la réplication de divers virus, notamment le virus de la grippe, le virus de l'herpès simplex et le virus respiratoire syncytial. L'échinacée réalise cela en favorisant le développement des globules blancs, la principale ligne de défense du corps contre les infections.

Il existe plusieurs avantages potentiels de l'échinacée en tant qu'antiviral. Certains de ces avantages comprennent :

Il a été démontré que l'échinacée améliore la fonction immunitaire, aidant le corps à se défendre contre les maladies virales. La principale ligne de défense du corps contre les infections est le globule blanc, qui est stimulé par l'échinacée.

Il a été démontré que l'échinacée réduit l'intensité et la durée des symptômes liés aux infections virales. Des études ont montré que l'échinacée raccourcit la durée et l'intensité des symptômes du rhume et de la grippe.

Pour renforcer la résistance aux menaces virales sans courir le risque des effets secondaires négatifs associés aux traitements traditionnels, l'échinacée est un remède sûr et naturel. L'échinacée a montré une activité antivirale à large spectre, ce qui signifie qu'elle peut inhiber la réplication de divers virus. L'échinacée est un traitement abordable largement disponible dans la plupart des magasins d'aliments naturels et facile à intégrer dans une alimentation équilibrée.

Depuis l'Antiquité, les gens ont profité des pouvoirs curatifs de l'ail, une herbe culinaire courante. Il a été démontré qu'il offre de nombreux avantages pour la santé, notamment la réduction de la pression artérielle, la réduction de l'inflammation et l'augmentation du taux de cholestérol. Il a été prouvé que le pouvoir antiviral de l'ail renforce la résistance aux menaces virales. Nous explorerons les propriétés antivirales de l'ail et ses avantages potentiels dans cette section.

De nombreuses substances présentes dans l'ail ont démontré leur efficacité antivirale. L'allicine, la plus connue de ces substances, est libérée lorsque l'ail est haché ou écrasé. De nombreuses caractéristiques antimicrobiennes de l'allicine, telles que son activité antivirale, antibactérienne et antifongique, ont été démontrées.

Des études ont montré que l'allicine peut inhiber la réplication de divers virus, notamment le virus de l'herpès simplex, le VIH et le virus de la grippe. L'allicine réalise cela en obstruant la capacité du virus à se multiplier et à infecter les cellules. En plus de l'allicine, l'ail contient d'autres substances antivirales telles que l'ajoène, l'alliine et l'allixine. Ensemble, ces substances confèrent à l'ail ses puissantes capacités antivirales.

En tant qu'antiviral, l'ail a démontré plusieurs avantages potentiels, notamment :

L'ail peut renforcer le système immunitaire, ce qui peut aider le corps à se défendre contre les maladies virales. L'ail stimule les globules blancs, la principale ligne de défense du corps contre les infections.

Il a été démontré que l'ail peut réduire l'intensité et la durée des symptômes liés aux infections virales. Selon des études, l'ail peut réduire l'intensité des symptômes du rhume et de la grippe, voire aider à prévenir ces infections dès le départ.

L'ail est un remède sûr et naturel qui peut renforcer la résistance aux menaces virales sans risque d'effets secondaires nocifs associés aux traitements conventionnels.

Il a été démontré que l'ail a une activité antivirale à large spectre, ce qui signifie qu'il peut empêcher la réplication de nombreux virus. L'ail est un traitement abordable disponible dans la plupart des épiceries et facile à intégrer dans une alimentation équilibrée.

En plus du rhume, de la grippe et d'autres infections virales, le sureau est un remède à base de plantes bien connu utilisé depuis des millénaires pour traiter de nombreuses maladies. Il est réputé pour sa capacité à combattre les virus et renforcer le système immunitaire. Cette section examinera les propriétés antivirales du sureau et ses avantages potentiels.

De nombreuses substances présentes dans les baies de sureau ont démontré leur efficacité antivirale. Les anthocyanines, les flavonoïdes et les acides phénoliques sont les formes les plus courantes de ces substances. Ces composés agissent en synergie pour inhiber la réplication des virus, ce qui fait du sureau un puissant antiviral à base de plantes.

Selon des études, le sureau peut stopper la propagation de plusieurs virus, notamment le virus de l'herpès simplex (VHS), le virus de la grippe et le virus de l'immunodéficience humaine (VIH). Le sureau accomplit cela en encourageant la synthèse de cytokines, qui sont des protéines qui aident à réguler la réponse immunitaire et à réduire l'inflammation.

Il existe plusieurs avantages potentiels du sureau en tant qu'antiviral. Certains de ces avantages comprennent :

Le sureau a été démontré pour renforcer la réponse immunitaire, ce qui peut aider le corps à lutter contre les infections virales. Lorsque les cytokines sont produites grâce au sureau, l'inflammation est réduite et le système immunitaire est mieux régulé.

Il a été démontré que le sureau peut réduire l'intensité et la durée des symptômes liés aux infections virales. Selon des études, le sureau peut raccourcir la durée et l'intensité des symptômes du rhume et de la grippe.

Le sureau est un remède sûr et naturel qui peut être utilisé pour renforcer la résistance aux menaces virales sans risque d'effets secondaires nocifs associés aux traitements conventionnels.

Selon la recherche, le sureau a une action antivirale à large spectre, ce qui signifie qu'il peut empêcher la réplication d'un large éventail de virus. Le sureau est un traitement abordable disponible dans la plupart des magasins d'aliments naturels et il est facile à intégrer dans une alimentation équilibrée.

Selon la recherche, les baies de sureau ont des propriétés anti-inflammatoires qui peuvent aider à réduire l'inflammation provoquée par les infections virales. Le sureau a été démontré pour offrir des avantages pour la santé respiratoire, notamment en réduisant l'inflammation des voies respiratoires et en améliorant la fonction pulmonaire.

La plante populaire qu'est la réglisse est utilisée depuis de nombreuses années pour traiter diverses maladies, y compris les infections virales. Elle est connue pour ses propriétés immunostimulantes et antivirales. Nous allons explorer les propriétés antivirales de la réglisse et ses avantages potentiels dans cet essai.

De nombreuses substances présentes dans la réglisse ont démontré leur efficacité antivirale. Le composé le plus connu de ces substances est la glycyrrhizine, qui a été montrée pour inhiber la réplication de divers virus, y compris le virus de la grippe, le VIH et le virus de l'herpès simplex.

La glycyrrhizine agit en interférant avec la réplication du virus. Cela se fait en bloquant la synthèse de l'ARN et de l'ADN viraux, en empêchant l'assemblage de nouvelles particules virales et en empêchant le virus d'entrer dans les cellules hôtes.

Il existe plusieurs avantages potentiels de la réglisse en tant qu'antiviral. Certains de ces avantages comprennent :

Il a été démontré que la réglisse améliore la fonction immunitaire, ce qui peut aider le corps à lutter contre les infections virales. Ce processus stimule l'interféron, une protéine qui contribue à réguler la réponse immunitaire et à réduire l'inflammation.

Il a été démontré que la réglisse réduit l'intensité et la durée des symptômes liés aux infections virales. Selon des études, la réglisse contribue à réduire la durée et l'intensité des symptômes du rhume et de la grippe.

La réglisse a montré des propriétés anti-inflammatoires, ce qui peut contribuer à réduire l'inflammation associée aux infections virales. Il a été démontré que la réglisse possède une activité antivirale à large spectre, ce qui signifie qu'elle peut empêcher la multiplication de nombreux virus.

La réglisse est un traitement sûr et naturel qui peut être utilisé pour renforcer la résistance aux menaces virales sans risque d'effets secondaires négatifs associés aux traitements conventionnels.

Il a été démontré que la réglisse offre des avantages pour la santé digestive, notamment en réduisant l'inflammation intestinale et en améliorant la fonction intestinale. La réglisse a également montré des effets positifs sur la santé cardiovasculaire, notamment en réduisant l'inflammation des vaisseaux sanguins et en améliorant la circulation sanguine.

La plante médicinale qu'est l'andrographis, couramment appelée "Roi des amers", est utilisée depuis des siècles en médecine traditionnelle pour traiter diverses affections. Elle est originaire de pays d'Asie du Sud tels que l'Inde, le Sri Lanka et le Pakistan. En raison de ses propriétés antivirales, anti-inflammatoires et stimulantes du système immunitaire, elle a été utilisée en médecine ayurvédique et chinoise.

L'andrographis contient divers composés actifs, notamment l'andrographolide, le déoxyandrographolide et le néoandrographolide, qui ont montré une large gamme d'activités pharmacologiques, notamment des effets anti-inflammatoires, antipyrétiques et immunomodulateurs. Ces substances ont également démontré une activité antivirale contre divers virus, notamment le coronavirus, le VIH, le virus de l'herpès simplex, les virus de la grippe A et B, et le VIH.

L'andrographis a des caractéristiques antivirales principalement en raison de sa capacité à empêcher la reproduction virale dans les cellules hôtes. Il a été démontré que l'andrographolide empêche le virus de se fixer au récepteur de la cellule hôte en se liant à la protéine de surface virale. L'andrographolide a également été démontré pour empêcher l'expression des gènes viraux et la création de particules virales dans les cellules infectées.

Également reconnue pour ses qualités stimulantes du système immunitaire, l'andrographis peut renforcer les défenses naturelles de l'organisme contre les infections virales. Il a été démontré qu'il stimule la production de globules blancs, notamment les macrophages et les cellules tueuses naturelles, qui sont impliqués dans la reconnaissance et la destruction des particules virales. De plus, l'andrographis favorise la synthèse de cytokines, telles que les interférons, qui sont essentielles pour la défense du système immunitaire contre les infections virales.

L'andrographis a été démontré pour ses caractéristiques antivirales, stimulantes du système immunitaire, anti-inflammatoires et antioxydantes. Ces caractéristiques peuvent contribuer à réduire l'intensité des symptômes liés aux infections virales. Il a été démontré qu'il inhibe l'interleukine-6 et le facteur de nécrose tumorale-alpha, deux cytokines pro-inflammatoires souvent élevées dans les infections virales et favorisant le développement de l'inflammation et des lésions tissulaires.

De nombreuses affections telles que les infections respiratoires, la fièvre, le mal de gorge et la diarrhée ont été traitées avec de l'andrographis. Il a été démontré qu'il est bénéfique pour réduire la gravité et la durée des symptômes causés par les infections des voies respiratoires supérieures, telles que le rhume et la grippe. L'andrographis s'est également révélé efficace dans le traitement de l'hépatite virale, des infections par le virus de l'herpès simplex et du VIH.

Le profil de sécurité de l'andrographis est l'un de ses avantages les plus notables. Il est utilisé depuis des décennies en médecine traditionnelle sans aucun effet secondaire négatif. Il est important de noter que des doses élevées d'andrographis peuvent provoquer des troubles gastro-intestinaux, tels que des nausées, des vomissements et de la diarrhée.

Différentes formes d'administration et directives de dosage

Le remède à base de plantes populaire, l'échinacée, est utilisé pour renforcer le système immunitaire. Les comprimés, les gélules, les teintures et les infusions ne sont que quelques-unes des nombreuses formes sous lesquelles il se présente. La posologie recommandée dépend de la méthode d'administration, de l'âge du patient, de l'état de santé et d'autres facteurs.

Les méthodes d'administration les plus courantes pour l'échinacée sont les comprimés et les gélules. Ils existent en plusieurs doses et intensités, pesant généralement entre 200 et 1000 mg par portion. La posologie recommandée dépend de l'âge du patient et de son état de santé. Pour les adultes, la posologie habituelle est de 300 à 500 mg, trois fois par jour, tandis que pour les enfants, il est recommandé d'utiliser la moitié de la posologie adulte. Il est préférable de prendre les gélules d'échinacée avec de la nourriture pour en augmenter l'absorption.

L'échinacée est infusée dans de l'alcool et de l'eau pour fabriquer des teintures. Elles existent en différentes forces et doses, allant généralement de 1:1 à 1:5, ce dernier étant le plus fort. La force de la teinture et l'état de santé du patient déterminent la posologie recommandée de l'échinacée. La posologie moyenne pour une teinture 1:1 est de 2 à 4 mL, trois fois par jour, tandis que la posologie recommandée pour une teinture 1:5 est de 0,4 à 1 mL, trois fois par jour. Il est préférable de consommer la teinture d'échinacée diluée dans de l'eau, du jus ou du thé.

La plante est infusée dans de l'eau chaude pour fabriquer du thé à l'échinacée. Il est proposé sous forme de feuilles en vrac ou de sachets de thé. La posologie recommandée du thé à l'échinacée dépend de la concentration du thé et de l'état de santé individuel. La posologie pour un thé de puissance standard est de 1 à 2 tasses, deux à trois fois par jour. Une tasse, deux à trois fois par jour, est recommandée pour un thé plus fort. Vous devriez boire le thé à l'échinacée chaud ou tiède, avec ou sans miel ou citron.

Lors de l'utilisation de l'échinacée, il est essentiel de suivre les recommandations posologiques afin de prévenir les effets secondaires. Une prise d'échinacée à des doses élevées peut provoquer des nausées, des vomissements et des étourdissements. Il est également déconseillé de l'utiliser régulièrement pendant plus de huit semaines afin de ne pas devenir tolérant aux effets de l'échinacée. Avant de consommer de l'échinacée, toute personne enceinte, allaitante ou souffrant de problèmes auto-immuns devrait consulter son médecin.

Une herbe bien connue à usage médical depuis des centaines d'années est l'ail. Elle est connue pour ses propriétés antibactériennes, antifongiques et antivirales, ce qui en fait un traitement efficace pour diverses affections. Bien qu'elle soit fréquemment utilisée en cuisine, l'ail a également plusieurs utilisations thérapeutiques.

L'ail est disponible sous différentes formes à des fins médicales. Les formes d'administration les plus courantes comprennent :

La forme la plus puissante de l'ail est l'ail cru, car il contient tous les principes actifs qui lui confèrent ses bienfaits thérapeutiques. Vous pouvez ajouter de l'ail cru haché aux aliments ou le manger cru, l'écraser, ou les deux. L'ail cru a une saveur et une odeur fortes, c'est pourquoi certaines personnes peuvent choisir de le consommer d'une autre manière.

Il existe plusieurs types de suppléments d'ail, notamment des gélules, des comprimés et des huiles. Ces suppléments sont standardisés pour contenir un certain niveau d'allicine, l'ingrédient clé de l'ail qui lui confère ses bienfaits thérapeutiques. Les suppléments d'ail sont une excellente option pour ceux qui n'aiment pas le goût et l'odeur de l'ail cru.

L'ail est fermenté pendant une longue période, jusqu'à 20 mois, pour produire de l'extrait d'ail vieilli. Ce procédé donne lieu à une saveur et une odeur d'ail plus douces, ainsi qu'à une augmentation de la quantité de substances actives spécifiques de l'ail. L'extrait d'ail vieilli est proposé sous forme de liquide, de comprimés et de gélules.

L'huile d'ail est créée en macérant de l'ail dans de l'huile, généralement de l'huile d'olive ou de tournesol. En utilisant cette méthode, les substances actives de l'ail sont extraites pour créer une huile concentrée qui peut être ingérée ou appliquée localement. Ceux qui n'aiment pas le goût et l'odeur de l'ail cru ont une excellente alternative avec l'huile d'ail.

Il est possible que la quantité recommandée d'ail varie non seulement en fonction de la méthode d'administration, mais aussi de l'affection traitée. Voici une liste des tailles de portion recommandées pour les différents types d'ail :

La posologie recommandée pour l'ail cru est d'un à deux gousses par jour, écrasées ou hachées et ajoutées aux aliments. La consommation d'ail cru à jeun met une pression inutile sur le système digestif et n'est donc pas recommandée.

Il est possible que différentes concentrations d'allicine dans les suppléments d'ail entraînent différentes recommandations de dosage. La posologie quotidienne normale varie de 600 à 1200 milligrammes (mg), répartis en deux ou trois portions égales. Il est absolument nécessaire de suivre les instructions de dosage indiquées sur l'emballage du supplément.

Il est possible que la concentration des composants actifs de l'extrait d'ail vieilli dicte la quantité de dosage suggérée que vous prenez. La posologie quotidienne normale varie de 600 à 1200 milligrammes (mg), répartis en deux ou trois portions égales. Il est absolument nécessaire de suivre les instructions de dosage indiquées sur l'emballage du supplément.

Il est possible que la posologie recommandée de l'huile d'ail varie en fonction de la quantité de composants actifs présents dans l'huile. Lorsqu'elle est utilisée en application locale ou ingérée, une posologie courante est d'une à deux cuillères à soupe par jour. Il est essentiel de suivre attentivement les directives de dosage figurant sur l'étiquette du produit.

L'ail est généralement sans danger lorsqu'il est pris dans les doses recommandées. Néanmoins, il peut entraîner des effets indésirables chez certaines personnes, notamment les suivants :

Inconfort gastro-intestinal, notamment des ballonnements, des flatulences et des diarrhées. Mauvaise haleine et odeur corporelle. Réactions allergiques, notamment des éruptions cutanées et des démangeaisons. Éclaircissement du sang, ce qui peut augmenter le risque de saignement chez les personnes prenant déjà des médicaments anticoagulants.

Avant de commencer à prendre des suppléments d'ail, il est impératif de consulter un professionnel de la santé qualifié, en particulier si vous prenez déjà des médicaments ou si vous avez une affection médicale préexistante. L'ail a le potentiel d'interagir négativement avec un certain nombre de médicaments, en particulier ceux utilisés pour fluidifier le sang, ce qui pourrait entraîner des effets indésirables.

Le sureau, également appelé Sambucus nigra, est un remède à base de plantes bien connu ayant des propriétés antivirales, qui peut être utilisé pour renforcer la résistance aux infections virales. Il a une longue histoire d'utilisation comme traitement du rhume, de la grippe et de diverses autres affections respiratoires. Les sureaux ont une forte concentration d'antioxydants et sont censés renforcer le système immunitaire. Il est vendu sous plusieurs préparations différentes, notamment du sirop, des pastilles, des bonbons, des gélules et même des boissons. Dans cette section, nous discuterons des différentes formes d'administration et des recommandations de dosage du sureau.

Le sirop de sureau est la forme d'administration la plus courante. Il est facile à ingérer et peut être trouvé dans de nombreux magasins d'aliments naturels différents. Pour préparer le sirop de sureau, les baies de sureau sont d'abord mijotées dans de l'eau, puis du miel ou du sucre est ajouté pour sucrer le mélange. Au cours de cette procédure, les composants bénéfiques présents dans les baies sont extraits et concentrés dans un sirop pour la consommation.

Les pastilles de sureau sont une autre forme d'administration populaire. Elles sont faciles à transporter et fournissent une libération continue des principes actifs, qui sont libérés au fil du temps. Pour fabriquer des pastilles de sureau, de l'extrait de sureau est mélangé à d'autres ingrédients naturels, y compris des édulcorants et des arômes.

La consommation de ce remède à base de plantes sous forme de bonbons au sureau est une manière délicieuse et divertissante de le faire. L'extrait de sureau, la gélatine et des édulcorants naturels sont les trois composants utilisés pour leur fabrication. Les bonbons au sureau sont une excellente option pour les tout-petits et les adultes ayant du mal à avaler des comprimés ou des gélules.

Les capsules de sureau sont une forme d'administration pratique pour ceux qui préfèrent éviter les édulcorants présents dans le sirop ou les bonbons. L'extrait de sureau contenu dans les capsules est très concentré, et elles sont très simples à consommer. Elles sont disponibles en différentes concentrations et dosages.

Le thé de sureau est une forme traditionnelle d'administration. Il est créé en infusant des baies de sureau séchées ou des fleurs de sureau séchées dans de l'eau bouillante. Le thé de sureau est riche en antioxydants et en composés renforçant le système immunitaire.

La posologie recommandée du complément de sureau varie pour chaque personne, en prenant en compte des facteurs tels que l'âge et l'état de santé actuel. Avant de commencer un traitement au sureau, il est crucial de suivre soit les recommandations de dosage fournies par le fabricant, soit de consulter un professionnel de la santé.

La quantité de sirop de sureau qu'un adulte devrait consommer quotidiennement équivaut à une cuillère à soupe (15 ml). Les enfants peuvent prendre la moitié de la dose pour les adultes. En cas d'infections virales aiguës, la posologie recommandée peut être augmentée à une cuillère à soupe (15 ml) quatre fois par jour.

Les pastilles de sureau doivent être prises comme indiqué par le fabricant. La posologie recommandée est généralement d'une pastille toutes les 2 à 3 heures.

Les bonbons au sureau doivent être pris comme indiqué par le fabricant. La posologie recommandée est généralement de 1 à 2 bonbons par jour. Les capsules de sureau doivent être prises comme indiqué par le fabricant. La posologie recommandée est généralement de 500 à 1000 mg par jour. Le thé de sureau peut être consommé plusieurs fois par jour. Pour chaque tasse d'eau chaude, on conseille de prendre de 1 à 2 cuillères à café (5 à 10 grammes) de baies de sureau séchées.

Il est essentiel de se rappeler que le sureau ne doit pas être pris en remplacement des soins médicaux standard. C'est un traitement complémentaire qui peut aider le système immunitaire à mieux réagir aux infections virales. Avant de consommer du sureau, les femmes enceintes ou allaitantes doivent consulter leur professionnel de la santé. Avant de consommer du sureau, toute personne atteinte de troubles auto-immuns, de diabète ou d'allergies devrait également consulter un professionnel de la santé.

Depuis l'Antiquité, la réglisse est utilisée comme remède à base de plantes courant pour de nombreuses affections, telles que la toux, les rhumes, les maux de gorge et les problèmes digestifs. Elle a également gagné en popularité en tant qu'agent antiviral puissant, notamment dans le traitement et la prévention des infections virales. La glycyrrhizine et les flavonoïdes, deux substances actives présentes dans la racine de réglisse, sont réputées pour leurs caractéristiques antivirales.

Il existe plusieurs formes de réglisse, notamment les racines séchées, le thé, les pilules, les comprimés et les extraits liquides. Avant de choisir la solution idéale pour vos besoins, il est essentiel de comprendre en quoi chaque type d'administration diffère des autres et quels avantages et inconvénients chacun présente.

Le thé et les décoctions sont fréquemment préparés avec des racines de réglisse séchées. Les racines séchées sont cuites dans de l'eau pendant plusieurs minutes pour créer du thé, qui est ensuite bu. Les racines sont bouillies pendant longtemps pour extraire les principes actifs dans les décoctions, une forme plus concentrée de thé. Il existe de nombreux endroits où trouver des racines de réglisse séchées, qui sont souvent utilisées pour fabriquer des remèdes traditionnels.

Le thé de réglisse est un moyen simple et pratique de profiter des bienfaits de la réglisse. Les racines de réglisse sont infusées dans de l'eau bouillante pendant plusieurs minutes pour préparer le thé, qui est ensuite filtré et bu. La posologie du thé de réglisse peut être ajustée en laissant infuser les racines pendant différentes durées ou en buvant plus ou moins de thé. Il est fréquemment disponible dans les magasins d'aliments naturels.

Des pilules et des capsules de réglisse sont également disponibles. Ces méthodes d'administration offrent une quantité standardisée d'extrait de réglisse et sont pratiques et faciles à prendre. On peut les trouver dans les magasins d'aliments naturels et en ligne. La posologie doit être suivie selon les indications du fabricant.

Les extraits liquides sont une autre forme populaire d'administration de la réglisse. Les racines de réglisse sont cuites dans de l'eau ou de l'alcool pour créer ces extraits, qui sont ensuite concentrés et conditionnés. Les extraits liquides sont très concentrés et doivent être pris selon les instructions de dosage figurant sur l'étiquette. Il est important de noter la teneur en alcool de certains extraits liquides, qui peut ne pas convenir à tout le monde.

La quantité appropriée de réglisse à prendre dépend de l'âge, de la santé et de la méthode d'administration de la personne. Avant de commencer un remède à base de plantes, il est toujours préférable de consulter un professionnel de la santé qualifié pour vous assurer qu'il est sûr et approprié pour vous.

La posologie pour les racines séchées ou le thé dépend de la puissance du produit. La consommation quotidienne recommandée est de 1 à 2 tasses de thé de réglisse ou de 2 à 4 grammes de racines séchées. Il est important de se rappeler que le thé de réglisse ne doit pas être consommé en grande quantité sur une période prolongée, car cela pourrait avoir des effets indésirables.

L'extrait de réglisse est généralement administré en doses réglementées sous forme de capsules et de comprimés. La posologie recommandée varie en fonction du produit spécifique, et il est essentiel de suivre attentivement les instructions du fabricant. En règle générale, il est conseillé de prendre de 500 à 1 000 mg d'extrait de réglisse par jour.

Les extraits liquides offrent la réglisse sous une forme très concentrée, de sorte que la posologie doit être ajustée. Il est conseillé de commencer par une posologie moindre et d'augmenter progressivement en fonction des besoins. Les extraits liquides sont généralement pris en doses de 2 à 4 ml par jour, bien que cela puisse varier en fonction du produit.

La plante médicinale appelée andrographis est utilisée depuis de nombreuses années pour traiter diverses affections en médecine traditionnelle. Elle est aujourd'hui réputée pour ses fortes propriétés antivirales, ce qui en fait un traitement naturel utile contre les maladies virales. L'andrographis est disponible sous différentes formes, telles que des extraits, des capsules, des thés et des teintures, chacune ayant des exigences de dosage spécifiques et des techniques d'administration particulières.

Une forme concentrée de la plante appelée extrait d'andrographis est obtenue grâce au processus d'extraction. Cet extrait est disponible sous forme liquide ou en poudre, et il est souvent utilisé en médecine traditionnelle pour traiter diverses affections, y compris les infections virales. La posologie normale de l'extrait d'andrographis se situe entre 300 et 500 mg par jour, avec des quantités plus petites étant plus fréquemment recommandées. Il est généralement pris avec un repas pour augmenter l'absorption, et il est essentiel de suivre les recommandations de dosage du fabricant.

Avec des quantités pré-mesurées pouvant être utilisées avec de l'eau ou une autre boisson, les capsules d'andrographis sont une manière pratique de prendre la plante. Selon la gravité de l'infection, le poids de la personne et sa santé générale, la posologie des capsules d'andrographis se situe généralement entre 400 et 800 milligrammes par jour. Pour optimiser l'absorption, les capsules doivent être prises avec de la nourriture, et il est crucial de suivre les niveaux de dosage recommandés par le fabricant.

Le thé d'andrographis est une manière populaire de prendre la plante, car il est facile à préparer et peut être consommé tout au long de la journée. Il suffit de faire mijoter une cuillère à café de la plante séchée dans une tasse d'eau chaude pendant cinq à dix minutes, de filtrer, puis de boire pour obtenir du thé d'andrographis. La posologie du thé d'andrographis peut être consommée jusqu'à trois fois par jour.

La plante andrographis est extraite avec de l'alcool ou un autre solvant pour produire une teinture d'andrographis, une version liquide concentrée de la plante. La médecine traditionnelle utilise fréquemment ce type d'andrographis pour traiter diverses affections, y compris les infections virales. La posologie normale de la teinture d'andrographis se situe entre 10 et 20 gouttes par jour, avec des quantités plus petites étant plus efficaces. Elle est généralement prise avec un repas pour augmenter l'absorption, et il est essentiel de suivre les recommandations de dosage du fabricant.

La posologie de l'andrographis peut varier en fonction de la méthode d'administration, du niveau d'infection, du poids du patient et de sa santé générale. Il est crucial de suivre les recommandations de dosage du fabricant car une prise excessive d'andrographis peut avoir des conséquences néfastes telles que des troubles digestifs, des maux de tête et des réactions allergiques.

La posologie recommandée de l'andrographis pour les adultes se situe généralement entre 300 et 800 milligrammes par jour, en fonction de la forme d'administration. L'andrographis ne doit pas être administré aux mineurs sans la supervision d'un professionnel de la santé.

Il est essentiel de se rappeler que l'andrographis ne doit pas être pris pendant plus de deux semaines à la fois, car une utilisation prolongée peut avoir des effets négatifs tels que des maux de tête et des troubles gastriques. Il est important de consulter votre médecin avant de prendre de l'andrographis si vous êtes enceinte, allaitez ou prenez des médicaments.

Effets secondaires potentiels et contre-indications

L'échinacée, également connue sous le nom de coneflower pourpre, est un remède à base de plantes populaire qui présente de nombreux avantages pour la santé, notamment des propriétés antivirales, anti-inflammatoires et stimulantes du système immunitaire. Avant d'utiliser de l'échinacée, il est crucial d'être informé des effets secondaires potentiels et des contre-indications, comme c'est le cas pour tout médicament ou complément alimentaire.

L'un des effets secondaires les plus courants de l'échinacée est les réactions allergiques, en particulier chez les personnes allergiques aux plantes de la famille des astéracées, telles que l'ambroisie, la camomille ou les soucis. Une réaction allergique peut provoquer une éruption cutanée, des démangeaisons, un gonflement et des problèmes respiratoires. Cessez d'utiliser de l'échinacée et demandez de l'aide immédiatement si vous présentez l'un de ces symptômes.

Après avoir utilisé de l'échinacée, certaines personnes peuvent développer des troubles gastro-intestinaux, notamment des nausées, de la diarrhée et des douleurs abdominales. La plupart de ces effets indésirables sont mineurs et peuvent disparaître en prenant de l'échinacée avec de la nourriture ou à une dose moindre. Néanmoins, il est essentiel de cesser d'utiliser de l'échinacée et de consulter un professionnel de la santé si ces symptômes s'aggravent ou persistent.

Les médicaments immunosuppresseurs, les corticostéroïdes et les médicaments utilisés pour traiter les maladies auto-immunes sont parmi les médicaments avec lesquels l'échinacée peut interagir. Il est crucial de demander l'avis d'un professionnel de la santé avant d'utiliser de l'échinacée si vous prenez actuellement l'un de ces médicaments.

Les informations sur l'innocuité de l'échinacée pendant la grossesse et l'allaitement sont limitées. Par conséquent, il est conseillé aux femmes enceintes ou allaitantes de s'abstenir d'utiliser de l'échinacée, sauf si elles sont expressément autorisées à le faire par un professionnel de la santé.

En raison de ses propriétés stimulantes du système immunitaire, l'échinacée doit être évitée par les personnes atteintes de maladies auto-immunes telles que le lupus ou la polyarthrite rhumatoïde. En renforçant le système immunitaire, l'échinacée pourrait aggraver ces maladies.

Des cas rares de lésions hépatiques liées à l'utilisation de l'échinacée ont été signalés. Des douleurs abdominales, des nausées, des vomissements et un jaunissement de la peau ou des yeux sont des symptômes possibles. S'il vous arrive de présenter l'un de ces symptômes, il est essentiel de cesser d'utiliser de l'échinacée et de demander immédiatement de l'aide médicale.

L'ail, une herbe commune qui a une longue histoire d'utilisation tant dans l'alimentation que dans la médecine, a été associé à de nombreux avantages pour la santé, notamment des propriétés antivirales et antibactériennes. Comme tout autre produit à base de plantes, l'ail peut provoquer des effets indésirables et interagir avec des médicaments ou des problèmes de santé.

Les troubles gastro-intestinaux, tels que les ballonnements, les flatulences et les brûlures d'estomac, figurent parmi les effets secondaires les plus courants de l'ail. Ces effets sont souvent attribués à la teneur élevée en soufre de l'ail, qui peut irriter le tractus gastro-intestinal. Ces effets indésirables peuvent être plus fréquents chez les personnes ayant un estomac sensible ou des troubles digestifs tels que le syndrome de l'intestin irritable (SII).

Certaines personnes peuvent développer des éruptions cutanées ou des réactions allergiques à l'ail. Les personnes qui manipulent de l'ail cru ou appliquent de l'huile d'ail sur leur peau ont déjà été victimes de dermatite de contact, un type d'inflammation cutanée. Les symptômes peuvent inclure des rougeurs, des démangeaisons et la formation de cloques.

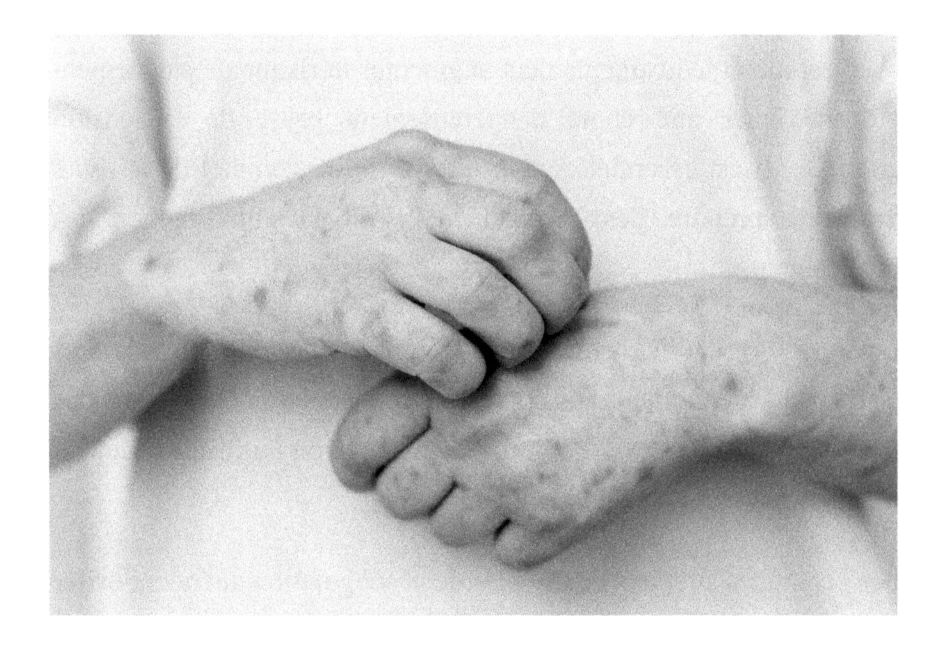

En raison de l'odeur intense bien connue de l'ail, en consommer en grande quantité peut provoquer une mauvaise haleine et une odeur corporelle désagréable. Cela est dû à la libération de composés sulfurés volatils par l'ail, qui peuvent être expulsés par la peau et l'haleine.

L'ail possède des propriétés anticoagulantes et peut augmenter le risque de saignement, surtout lorsqu'il est pris à des doses excessives ou en association avec d'autres médicaments anticoagulants. Les personnes prenant des anticoagulants tels que l'aspirine ou la warfarine devraient consulter leur médecin avant de prendre des compléments d'ail.

L'ail peut interagir avec plusieurs médicaments, notamment certains traitements contre le VIH, les anticoagulants et les médicaments qui réduisent la tension artérielle. L'association de compléments d'ail avec certains médicaments peut augmenter le risque de saignement ou provoquer une chute dangereusement basse de la tension artérielle. Il est essentiel de consulter un professionnel de la santé avant de prendre des compléments d'ail si vous prenez des médicaments.

Lorsqu'ils sont utilisés à des doses recommandées, les compléments d'ail sont généralement considérés comme sûrs pour la plupart des gens. Cependant, il existe certaines situations où l'utilisation de l'ail n'est pas recommandée, notamment :

Les personnes atteintes de troubles de la coagulation devraient éviter de prendre des compléments contenant de l'ail, car cela pourrait augmenter leur risque de saignement. Les compléments d'ail ne sont pas recommandés pour les femmes enceintes ou qui allaitent en raison de recherches limitées sur leur sécurité. Avant une intervention chirurgicale ou dentaire, les compléments d'ail devraient être évités car ils peuvent augmenter le risque de saignement.

Le Sambucus nigra, également connu sous le nom de sureau, est une plante médicinale populaire appréciée pour ses propriétés antivirales. Elle est utilisée depuis des millénaires pour traiter les rhumes, les symptômes similaires à la grippe et les infections respiratoires. De plus, c'est un complément nutritionnel apprécié et un ingrédient courant des médicaments en vente libre contre le rhume et la grippe. Comme toute autre plante ou médicament, elle est généralement considérée comme sûre, mais il est tout de même essentiel de connaître les éventuels effets secondaires et contre-indications.

Bien que le sureau soit généralement considéré comme sûr, certaines personnes peuvent éprouver des effets secondaires. Les symptômes gastro-intestinaux tels que nausées, vomissements et diarrhées sont les effets secondaires les plus courants. Ces effets secondaires sont généralement légers et temporaires, mais dans certains cas, ils peuvent être graves.

Le sureau peut également provoquer des réactions allergiques chez certaines personnes. Démangeaisons, urticaire, gonflement et difficultés respiratoires sont quelques-uns des symptômes de réaction allergique, allant du léger au grave. Les baies de sureau peuvent provoquer des réactions allergiques, il est donc essentiel de demander de l'aide immédiatement si vous en faites l'expérience.

Le sureau peut également réduire les taux de sucre dans le sang, ce qui est un autre effet potentiellement négatif. Les personnes atteintes de diabète qui prennent également des médicaments pour abaisser leur taux de sucre dans le sang peuvent être préoccupées par cela. Les patients diabétiques doivent utiliser le sureau avec prudence et faire vérifier régulièrement leur taux de sucre dans le sang.

De plus, le sureau peut interagir avec certains médicaments. Par exemple, il peut affaiblir les effets des médicaments immunosuppresseurs et renforcer les effets des diurétiques. Avant de prendre du sureau, il est essentiel de discuter de votre utilisation de médicaments avec votre médecin.

Le sureau est généralement considéré comme sûr pour la plupart des gens, mais il existe des personnes qui ne devraient pas le prendre. Il s'agit notamment de :

Il est conseillé d'éviter le sureau car il n'y a pas suffisamment de données sur sa sécurité pendant la grossesse et l'allaitement. Les baies de sureau peuvent augmenter l'activité du système immunitaire, ce qui peut être préjudiciable pour les personnes atteintes de maladies auto-immunes telles que le lupus, la polyarthrite rhumatoïde et la sclérose en plaques.

Le sureau peut faire chuter la tension artérielle et les taux de sucre dans le sang, c'est pourquoi les personnes souffrant d'hypotension, d'hypoglycémie ou d'autres affections qui affectent la tension artérielle ou les taux de sucre dans le sang doivent l'utiliser avec prudence.

Bien que le sirop de sureau soit un traitement naturel bien connu contre le rhume et la grippe chez les enfants, il ne doit pas être administré aux nourrissons de moins d'un an en raison du risque de botulisme.

La plante médicinale appelée réglisse, également connue sous le nom de Glycyrrhiza glabra, est utilisée depuis des milliers d'années en médecine traditionnelle pour ses multiples bienfaits pour la santé. La racine de réglisse contient de nombreux composés actifs, notamment la glycyrrhizine, les flavonoïdes et les saponines, qui sont censés contribuer à ses effets thérapeutiques. La réglisse a été utilisée pour le traitement d'une grande variété de problèmes de santé, notamment ceux liés au système digestif et respiratoire, ainsi que pour ses propriétés anti-inflammatoires et antivirales. Comme toutes les autres herbes médicinales, la réglisse peut avoir des effets secondaires et interagir négativement avec certains médicaments. Cependant, la réglisse est moins susceptible de provoquer des réactions indésirables que d'autres remèdes à base de plantes.

La consommation de réglisse peut entraîner une augmentation de la tension artérielle, ce qui est l'un des effets indésirables les plus courants. La glycyrrhizine, présente dans la racine de réglisse, est une substance chimique qui peut amener le corps à retenir le sodium et l'eau, ce qui peut finalement contribuer à une élévation de la tension artérielle. La consommation de quantités substantielles de réglisse sur une période prolongée est la plus susceptible de provoquer cet effet.

L'hypokaliémie, également connue sous le nom de faibles taux de potassium, est un autre effet indésirable potentiel qui peut résulter de la prise de quantités importantes de réglisse. Cela est dû au fait que la glycyrrhizine peut perturber la capacité du corps à réguler les taux de potassium, ce qui peut entraîner des problèmes de santé potentiellement graves.

Les niveaux de diverses hormones dans le corps peuvent également être affectés par la racine de réglisse, en particulier l'hormone cortisol. Une consommation excessive de réglisse peut entraîner une augmentation des niveaux de l'hormone cortisol, qui aide le corps à réagir au stress. Cela peut entraîner divers symptômes, tels que la prise de poids, les sautes d'humeur et l'hypertension artérielle.

La consommation de réglisse peut également entraîner des problèmes gastro-intestinaux, tels que des nausées, des vomissements et des diarrhées. Cela est particulièrement vrai lorsque de grandes quantités de réglisse sont ingérées sur une période prolongée ou de manière continue.

Comme la réglisse est une plante, tout comme toute autre plante, elle a le potentiel de provoquer des réactions allergiques chez certaines personnes. Il est nécessaire d'être conscient des symptômes d'une réaction allergique, qui peuvent inclure un gonflement du visage, des lèvres ou de la langue, de l'urticaire et des difficultés respiratoires. Bien que les réactions allergiques à la réglisse soient rares, elles peuvent être dangereuses, il est donc important de connaître les symptômes d'une réaction allergique.

La racine de réglisse doit être évitée pendant la grossesse et l'allaitement, car elle peut perturber l'équilibre hormonal et avoir des effets indésirables sur le développement fœtal. La réglisse peut provoquer une augmentation de la pression artérielle, il est donc conseillé aux personnes déjà atteintes d'hypertension artérielle ou de maladies cardiaques de l'éviter ou de la consommer avec modération au maximum.

Étant donné que la racine de réglisse a le potentiel d'influer sur les taux de sucre dans le sang, les diabétiques sont vivement encouragés à s'abstenir de prendre de la réglisse ou à le faire uniquement sous la supervision d'un professionnel de la santé qualifié. La consommation de racine de réglisse peut également avoir un impact sur la fonction rénale, il est donc conseillé aux personnes atteintes de maladies rénales de l'éviter.

Les corticostéroïdes, les diurétiques et plusieurs médicaments utilisés pour traiter les maladies cardiaques figurent parmi les médicaments qui peuvent interagir avec la racine de réglisse. Elle peut également réduire l'efficacité des pilules contraceptives et aggraver les effets secondaires des médicaments utilisés pour traiter l'hypertension artérielle.

L'andrographis est une plante qui est depuis longtemps utilisée en médecine ayurvédique. En raison de son goût amer, on l'appelle souvent le "roi des amers". L'andrographis a été largement étudiée pour ses propriétés médicinales, en particulier ses effets antiviraux. Elle a été démontrée comme ayant des propriétés antipyrétiques, anti-inflammatoires et antioxydantes, ainsi que des effets bénéfiques sur le système immunitaire. Cependant, comme toutes les herbes, l'andrographis a le potentiel de provoquer des effets secondaires négatifs et peut ne pas convenir à tout le monde.

Lorsqu'elle est utilisée à des doses appropriées, l'andrographis est généralement considérée comme sûre, mais certaines personnes peuvent développer des effets secondaires. Les effets secondaires les plus courants de l'andrographis comprennent :

L'andrographis peut entraîner des problèmes digestifs tels que la diarrhée, les ballonnements et les douleurs abdominales. Ces effets indésirables sont généralement gérables en réduisant la dose ou en arrêtant l'utilisation.

Certaines personnes peuvent ressentir des maux de tête après avoir pris de l'andrographis. Cet effet indésirable est généralement léger et disparaît de lui-même avec le temps.

Dans de rares cas, l'andrographis peut provoquer une réaction allergique. Des démangeaisons, de l'urticaire ou un gonflement du visage, des lèvres, de la langue ou de la gorge peuvent être des symptômes d'une réaction allergique. D'autres symptômes peuvent inclure un choc anaphylactique. Consultez immédiatement un professionnel de la santé si vous présentez l'un de ces symptômes.

Étant donné qu'il est connu pour abaisser la tension artérielle, l'andrographis ne doit pas être pris par ceux qui prennent actuellement des médicaments contre l'hypertension. Il n'y a pas suffisamment d'informations disponibles pour évaluer si l'andrographis est sûr à utiliser pendant la grossesse ou pendant l'allaitement. Il est préférable d'éviter l'andrographis pendant ces périodes.

L'andrographis ne doit pas être pris par des patients actuellement traités pour certaines maladies médicales ou prenant certains médicaments. Certaines contre-indications de l'andrographis comprennent :

L'andrographis peut avoir la capacité de stimuler le système immunitaire, ce qui peut aggraver les symptômes des troubles auto-immuns tels que la sclérose en plaques, le lupus et la polyarthrite rhumatoïde.

L'andrographis peut rendre les personnes plus susceptibles de saigner, en particulier celles qui ont déjà une maladie hémorragique ou qui prennent des médicaments anticoagulants. Parce qu'il peut augmenter le risque de saignement pendant et après les interventions chirurgicales, l'andrographis doit être arrêté au moins deux semaines avant l'opération programmée.

L'andrographis peut abaisser les taux de sucre dans le sang, il doit donc être utilisé avec prudence chez les personnes atteintes de diabète qui prennent des médicaments pour abaisser leur taux de sucre dans le sang.

Parce que l'andrographis a le potentiel de stimuler le système immunitaire, il ne doit pas être pris en association avec un médicament immunosuppresseur. Cela pourrait compromettre l'efficacité du traitement immunosuppresseur.

Chapitre IV

Recettes et Remèdes à Base de Plantes Antiviraux

Thés, teintures, sirops et autres recettes de remèdes à base de plantes antiviraux

Les antiviraux à base de plantes sont des traitements non pharmaceutiques dérivés de plantes et ayant le potentiel de traiter ou de prévenir les infections virales. Les thés, teintures, sirops et autres concoctions médicinales ne sont que quelques-unes des nombreuses façons dont les antiviraux à base de plantes peuvent être préparés et pris dans le corps. Dans cette section, nous parlerons de divers remèdes antiviraux à base de plantes et des avantages qu'ils offrent.

Renforcer son système immunitaire et se prémunir contre les infections virales peut être réalisé en buvant régulièrement des thés antiviraux à base de plantes, qui sont faciles à préparer et peuvent être consommés à tout moment. Voici quelques recettes populaires de thés antiviraux à base de plantes :

L'échinacée est une herbe bien connue pour sa capacité à stimuler le système immunitaire, et le thé à base d'échinacée est un moyen populaire de consommer cette plante. Pour préparer du thé à l'échinacée, ajoutez 1 cuillère à café de racine d'échinacée séchée ou 2 cuillères à café de feuilles d'échinacée séchées à une tasse d'eau bouillante. Après l'avoir laissé infuser pendant 10 à 15 minutes, filtrez-le avant de le consommer.

Le gingembre est une autre herbe puissante ayant des qualités antivirales, et on le trouve dans le thé au gingembre. Pour préparer du thé au gingembre, coupez finement quelques racines de gingembre frais et placez-les dans une tasse d'eau déjà bouillante. Laissez-les infuser pendant cinq à dix minutes, puis filtrez. Le miel ou le jus de citron sont deux autres options pour rehausser la saveur.

Le sureau a été étudié pour sa capacité à combattre les virus et à réduire l'inflammation, et le thé au sureau est un moyen populaire de consommer ce fruit. Pour préparer du thé au sureau, mélangez une à deux cuillères à café de baies de sureau séchées avec une tasse d'eau portée à ébullition. Après l'avoir laissé infuser pendant 10 à 15 minutes, filtrez-le avant de le consommer.

Le thé à la réglisse a été démontré pour aider à augmenter la fonction immunitaire grâce aux caractéristiques antimicrobiennes et anti-inflammatoires de la racine de réglisse. Pour préparer du thé à la réglisse, mélangez une à deux cuillères à soupe de racine de réglisse séchée avec une tasse d'eau portée à ébullition. Après l'avoir laissé infuser pendant 10 à 15 minutes, filtrez-le avant de le consommer.

Les teintures à base de plantes sont des extraits liquides de plantes généralement pris par voie orale. Il s'agit d'une forme concentrée de la plante généralement produite en faisant tremper la plante dans de l'alcool ou du vinaigre pendant un certain temps avant de l'utiliser. Voici quelques recettes de teintures antivirales à base de plantes :

L'ail a de puissants effets antiviraux et peut être utilisé pour aider le système immunitaire à lutter contre les infections. Pour préparer une teinture à l'ail, coupez finement de l'ail frais et placez-le dans un bocal. Versez suffisamment d'alcool ou de vinaigre sur l'ail pour le recouvrir, puis laissez-le reposer pendant deux à six semaines pour fermenter. Après avoir filtré le liquide, mettez-le dans une bouteille sombre et rangez-le.

L'andrographis est une plante antivirale puissante qui peut à la fois aider à prévenir les infections virales et traiter celles qui se sont déjà produites. Pour préparer une teinture d'andrographis, hachez finement des feuilles fraîches de la plante et placez-les dans une bouteille. Versez suffisamment d'alcool ou de vinaigre sur les feuilles pour les recouvrir, puis laissez le mélange reposer pendant deux à six semaines. Après avoir filtré le liquide, mettez-le dans une bouteille sombre et rangez-le.

La feuille d'olivier a des propriétés antivirales et renforce le système immunitaire. Pour préparer une teinture de feuille d'olivier, hachez finement des feuilles d'olivier fraîches et placez-les dans un bocal avec de l'alcool. Versez suffisamment d'alcool ou de vinaigre sur les feuilles pour les recouvrir, puis laissez le mélange reposer pendant deux à six semaines. Après avoir filtré le liquide, mettez-le dans une bouteille sombre et rangez-le.

Les sirops à base de plantes antiviraux sont des médicaments délicieux qui peuvent être administrés pour prévenir ou traiter les infections virales. Ces sirops sont sucrés et sont fabriqués à partir de plantes. Ils peuvent être consommés en toute sécurité par tous les groupes d'âge car ils sont souvent composés de miel ou d'un autre édulcorant naturel. Voici quelques recettes de sirops antiviraux à base de plantes :

Le sureau est un remède à base de plantes bien connu pour les infections virales, et le prendre sous forme de sirop de sureau est une manière à la fois délicieuse et efficace de le faire. Dans une casserole, mélangez une tasse de baies de sureau séchées, trois tasses d'eau, un bâton de cannelle et quatre clous de girofle pour préparer le sirop de sureau. Après avoir porté le mélange à ébullition, réduisez le feu et laissez mijoter pendant trente à quarante minutes. Après avoir filtré le liquide, ajoutez une tasse de miel et remuez jusqu'à ce qu'il soit complètement dissous. Embouteillez le sirop et conservez-le au réfrigérateur.

Le gingembre est une plante puissante qui peut aider à réduire l'inflammation et à combattre les virus, ce qui, à son tour, peut aider le système immunitaire à fonctionner de manière plus efficace et à se prémunir contre les maladies. Dans une casserole, mélangez une tasse de gingembre frais haché, quatre tasses d'eau et deux tasses de sucre pour produire du sirop de gingembre. Portez le mélange à ébullition, puis réduisez le feu et laissez mijoter pendant trente à quarante minutes. Après avoir filtré le mélange, embouteillez-le et mettez-le au réfrigérateur pour le refroidir.

La racine de réglisse est une plante antivirale efficace qui renforce le système immunitaire et peut être utilisée pour lutter contre les infections. Dans une casserole, mélangez une tasse de racine de réglisse hachée, quatre tasses d'eau et deux tasses de miel pour faire du sirop de réglisse. Portez le mélange à ébullition, puis réduisez le feu et laissez mijoter pendant trente à quarante minutes. Après avoir filtré le mélange, embouteillez-le et mettez-le au réfrigérateur pour le refroidir.

L'andrographis est une plante antivirale puissante qui a été démontrée pour aider à combattre une gamme de maladies. Elle est utilisée à cette fin depuis longtemps. Dans une casserole, mélangez une tasse d'andrographis séché, quatre tasses d'eau et deux tasses de miel pour fabriquer du sirop d'andrographis. Portez le mélange à ébullition, puis réduisez le feu et laissez mijoter pendant trente à quarante minutes. Après avoir filtré le mélange, embouteillez-le et mettez-le au réfrigérateur pour le refroidir.

La cannelle est connue pour ses propriétés réchauffantes et antibactériennes, ce qui en fait un outil utile pour lutter contre les maladies et renforcer le système immunitaire. Dans une casserole, mélangez une tasse de morceaux de cannelle ou de bâtons de cannelle, quatre tasses d'eau et deux tasses de sucre pour fabriquer du sirop de cannelle. Portez le mélange à ébullition, puis réduisez le feu et laissez mijoter pendant trente à quarante minutes. Après avoir filtré le mélange, embouteillez-le et mettez-le au réfrigérateur pour le refroidir.

Depuis l'Antiquité, les gens se sont tournés vers la médecine à base de plantes pour traiter une grande variété de troubles, y compris les infections virales. Ces dernières années, l'intérêt pour les remèdes naturels a augmenté, et de plus en plus de personnes se tournent vers les plantes pour obtenir de l'aide dans la prévention et le traitement des maladies virales. Dans cette section, nous passerons en revue diverses plantes médicinales antivirales pouvant être fabriquées dans le confort de votre foyer.

Le miel et la cannelle sont deux composants largement reconnus pour leur capacité à inhiber la croissance des bactéries et des virus. Ils ont des propriétés antivirales, et lorsqu'ils sont mélangés dans un thé, ils peuvent aider à soulager les maux de gorge et à lutter contre les infections virales. Pour préparer une tasse de thé au miel et à la cannelle, portez simplement une tasse d'eau à ébullition, ajoutez une cuillère à café de poudre de cannelle et laissez le mélange mijoter pendant quelques minutes. Ensuite, ajoutez une cuillère à café de miel et remuez. Pour obtenir les meilleurs résultats, buvez ce thé deux ou trois fois par jour.

Le gingembre et le citron sont bien connus pour leur capacité à renforcer le système immunitaire, en particulier lorsqu'ils sont combinés. Le gingembre contient des gingérols et des shogaols, qui ont des effets anti-inflammatoires et antiviraux. La vitamine C, que l'on trouve en abondance dans le citron, est absolument essentielle pour maintenir un système immunitaire fort. Pour préparer un thé au gingembre et au citron, portez une tasse d'eau à ébullition, ajoutez quelques tranches de gingembre frais, puis laissez le mélange infuser pendant quelques minutes. Ensuite, ajoutez le jus d'un demi-citron au thé et remuez. Pour obtenir les meilleurs résultats, buvez ce thé deux ou trois fois par jour.

Une épice appelée curcuma a une longue histoire d'application dans diverses formes de médecine alternative. La curcumine, un composant de cette épice, possède des propriétés anti-inflammatoires, antioxydantes et antivirales, et elle est responsable de la couleur jaune de l'épice. La pipérine, un composant que l'on trouve dans le poivre noir, facilite l'absorption de la curcumine par l'organisme et est l'un des nombreux bienfaits du poivre. Pour préparer une tasse de thé au curcuma et au poivre noir, portez simplement une tasse d'eau à ébullition, ajoutez une cuillère à café de poudre de curcuma, puis laissez le mélange infuser pendant quelques minutes. Ensuite, ajoutez une pincée de poivre noir et remuez. Pour obtenir les meilleurs résultats, buvez ce thé deux ou trois fois par jour.

Directives de dosage pour chaque remède

Les dosages recommandés pour le thé à base d'échinacée dépendent de la préparation de la plante. La dose typique pour la racine ou la plante séchée d'échinacée est de 1 à 2 grammes infusés dans de l'eau bouillante pendant 10 à 15 minutes, jusqu'à trois fois par jour. La dose recommandée pour l'échinacée fraîche est de 3 à 4 grammes infusés dans de l'eau bouillante pendant 10 à 15 minutes, jusqu'à trois fois par jour.

On peut consommer de 1 à 2 grammes de gingembre frais ou séché, infusés dans de l'eau bouillante pendant dix à quinze minutes, jusqu'à trois fois par jour. Il est important de noter que le gingembre peut interagir avec certains médicaments et ne doit pas être utilisé en grande quantité pendant la grossesse.

Le thé à base de sureau peut être consommé jusqu'à trois fois par jour avec 1 à 2 cuillères à soupe de baies de sureau séchées bouillies dans de l'eau bouillante pendant 10 à 15 minutes. Il est essentiel de se rappeler que les baies de sureau ne doivent pas être consommées crues en raison de leur toxicité. Le thé au sureau ne doit pas être consommé de manière continue pendant plus de cinq jours.

Le thé à la réglisse peut être consommé jusqu'à trois fois par jour avec 1 à 2 grammes de racine de réglisse séchée infusés dans de l'eau bouillante pendant 10 à 15 minutes. Il est crucial de se rappeler que la réglisse ne doit pas être consommée de manière continue pendant plus de 4 semaines et peut interagir avec certains médicaments.

Les dosages recommandés pour la teinture d'ail varient en fonction de la puissance de la teinture et de l'état de santé de l'utilisateur. La teinture d'ail peut être prise jusqu'à trois fois par jour, diluée dans de l'eau ou du jus, à des doses de 2 à 4 mL (ou 40 à 80 gouttes). Il est essentiel de commencer par une faible dose et d'augmenter progressivement au fil du temps pour éviter les troubles gastro-intestinaux et d'autres effets secondaires.

La teinture d'andrographis peut être prise jusqu'à trois fois par jour, diluée dans de l'eau ou du jus, à des doses de 1 à 3 mL (ou 20 à 60 gouttes). Il est essentiel de commencer par une faible dose et d'augmenter progressivement au fil du temps pour éviter les troubles gastro-intestinaux et d'autres effets secondaires.

Les dosages recommandés pour la teinture de feuilles d'olivier varient en fonction de la puissance de la teinture et de l'état de santé de l'utilisateur. Pour la teinture de feuilles d'olivier, la plage de dosage habituelle est de 2 à 4 mL (ou 40 à 80 gouttes) jusqu'à trois fois par jour, diluée dans de l'eau ou du jus.

Les adultes sont généralement conseillés de prendre 1 à 2 cuillères à café de sirop de sureau 2 à 3 fois par jour, tandis que les enfants de plus de 1 an sont conseillés de consommer 1/2 à 1 cuillère à café. Le sirop de sureau ne doit pas être donné aux nourrissons de moins de 1 an.

Il est généralement recommandé de prendre 1 à 2 cuillères à café de sirop de gingembre 2 à 3 fois par jour pour les adultes et 1/2 à 1 cuillère à café pour les enfants de plus de 1 an. Le sirop de gingembre ne doit pas être donné aux nourrissons de moins de 1 an.

Il est généralement recommandé de prendre 1 à 2 cuillères à café de sirop de réglisse 2 à 3 fois par jour pour les adultes et 1/2 à 1 cuillère à café pour les enfants de plus de 1 an. Le sirop de réglisse ne doit pas être donné aux nourrissons de moins de 1 an.

Il est généralement recommandé de prendre 1 à 2 cuillères à café de sirop d'Andrographis 2 à 3 fois par jour pour les adultes et 1/2 à 1 cuillère à café pour les enfants de plus de 1 an. Le sirop d'Andrographis ne doit pas être donné aux nourrissons de moins de 1 an.

Il est généralement recommandé de prendre 1 à 2 cuillères à café de sirop de cannelle 2 à 3 fois par jour pour les adultes et 1/2 à 1 cuillère à café pour les enfants de plus de 1 an. Le sirop de cannelle ne doit pas être donné aux nourrissons de moins de 1 an.

La posologie recommandée pour le thé au miel et à la cannelle est généralement d'une à deux tasses par jour, selon les besoins. Cependant, il est important de noter que le miel ne doit pas être donné aux enfants de moins d'un an en raison du risque de botulisme.

Il convient de consommer une à deux tasses de thé au gingembre et au citron par jour, selon les besoins. Les personnes atteintes de calculs biliaires ou de problèmes sanguins devraient éviter le gingembre car il peut interagir avec certains médicaments.

Il convient de boire une à deux tasses de thé au curcuma et au poivre noir par jour, selon les besoins. Il est essentiel de se rappeler que le curcuma pourrait interagir avec plusieurs médicaments, tels que les anticoagulants et les traitements contre le diabète.

Conseils pour fabriquer et conserver les remèdes à base de plantes

Depuis l'Antiquité, les individus se tournent vers la médecine à base de plantes pour traiter toute une série de troubles, y compris les infections virales. Malgré le fait qu'il existe de nombreuses herbes et remèdes utiles, il est essentiel de garantir à la fois leur efficacité et leur sécurité en les préparant et en les stockant correctement. Dans cette section, nous examinerons quelques conseils pour la préparation et le stockage des traitements à base de plantes.

La qualité des herbes utilisées dans les remèdes à base de plantes est d'une importance capitale. Il est recommandé de choisir des herbes fraîches et biologiques. Les herbes qui ont vieilli ou qui ont été mal conservées ont probablement perdu une partie de leur efficacité et peuvent ne pas être aussi efficaces qu'auparavant. Il est essentiel d'acheter des herbes auprès d'un fournisseur fiable pour s'assurer qu'elles sont de la plus haute qualité et pureté possible.

Les tisanes, les teintures, les sirops et les capsules ne sont que quelques-unes des formes de médicaments à base de plantes qui peuvent être préparées de différentes manières. Chaque méthode a un ensemble unique d'avantages et d'inconvénients, et le choix d'une méthode peut dépendre de l'herbe particulière utilisée ainsi que des effets recherchés. Il est essentiel de mener des recherches adéquates et de suivre les procédures de préparation correctes pour obtenir les résultats souhaités.

Lors de la préparation d'une tisane, il est essentiel d'utiliser la bonne proportion d'herbes par rapport à l'eau et de laisser infuser les herbes pendant le temps nécessaire pour extraire les propriétés thérapeutiques des herbes. Pour préparer des teintures, les herbes sont trempées dans de l'alcool ou du vinaigre pour extraire leurs propriétés médicinales, et la concentration de la teinture peut être ajustée en variant le rapport entre les herbes et le liquide. Pour préparer un sirop concentré pouvant être ajouté aux boissons ou pris à la cuillère, les herbes sont mijotées dans de l'eau tandis qu'un agent sucrant tel que le miel ou le sucre est ajouté. Les suppléments à base de plantes peuvent être pris sous forme de gélules, qui peuvent être remplies de poudre d'herbes ou d'extraits liquides des herbes.

Il est crucial de stocker les remèdes à base de plantes de la bonne manière afin de préserver leur efficacité et leur sécurité. Pour éviter le développement de moisissures et préserver la fraîcheur des herbes, elles doivent être conservées dans un endroit sombre et sec, à l'abri de la lumière directe du soleil et de toute forme d'humidité. Il est recommandé de stocker les herbes dans des contenants hermétiques, tels que des bocaux en verre ou des sacs, pour éviter l'oxydation et la perte d'huiles essentielles. Cela peut être réalisé en retirant l'oxygène du contenant.

Il est possible que les remèdes à base de plantes, en particulier les teintures et les sirops, aient une durée de conservation qui doit être respectée. Il est important d'étiqueter les remèdes avec la date de préparation et de jeter ceux qui ont expiré ou qui montrent des signes de détérioration.

Bien que les médicaments à base de plantes soient généralement sans danger, il est essentiel de faire preuve de la plus grande prudence et de suivre strictement les instructions posologiques afin d'éviter tout effet indésirable. Certaines herbes peuvent avoir une réaction négative lorsqu'elles sont combinées avec certains médicaments ou peuvent ne pas convenir à certaines catégories de personnes, telles que les enfants ou les femmes enceintes. Avant de commencer un traitement avec un remède à base de plantes, il est important de discuter de votre historique médical et de votre régime de prescription avec un professionnel de la santé qualifié. Ceci est particulièrement important si vous avez déjà une maladie préexistante.

Lors de la préparation de remèdes à base de plantes, il est impératif de suivre des procédures d'hygiène correctes afin d'éliminer le risque de contamination et de garantir la viabilité des produits. Avant de travailler avec des herbes ou de préparer des médicaments, assurez-vous de vous laver les mains et d'utiliser des outils propres, des contenants et des surfaces de travail propres. Assurez-vous également de vous brosser les ongles. Pour éviter davantage la propagation des bactéries, il est recommandé d'utiliser de l'eau distillée ou de l'eau préalablement bouillie et refroidie.

Pour garantir l'efficacité des remèdes à base de plantes tout en assurant leur sécurité, des tests d'assurance qualité doivent être effectués régulièrement. Cela peut inclure des tests de pureté et de puissance des herbes, le suivi des dates d'expiration des remèdes préparés, ainsi que la révision et la mise à jour régulières des méthodes de préparation et des directives posologiques.

Chapitre V

Renforcer la Résilience avec des Changements de Mode de Vie et un Soutien Naturel

Comment modifier son mode de vie peut renforcer l'immunité et préparer à faire face aux menaces virales

Notre corps est protégé contre des agents pathogènes potentiellement dangereux tels que les virus, les bactéries et les champignons par notre système immunitaire, qui en est responsable. Cependant, le système immunitaire est susceptible d'être compromis par diverses conditions, notamment le stress, une mauvaise nutrition, un sommeil insuffisant et un manque d'activité physique. Pour cette raison, il est absolument nécessaire de maintenir un mode de vie sain qui soutienne et renforce le système immunitaire afin de se prémunir contre les effets des infections virales. Dans cette section, nous expliquerons comment apporter des ajustements à son mode de vie peut renforcer le système immunitaire et renforcer la résilience contre les effets des infections virales.

Maintenir un système immunitaire fort nécessite une alimentation à la fois nutritive et équilibrée. La consommation d'une grande variété de fruits, de légumes, de céréales complètes et de sources maigres de protéines peut fournir les nutriments et les antioxydants nécessaires pour améliorer la fonction immunitaire. Par exemple, la vitamine C, présente dans les agrumes et les légumes à feuilles vertes, a été démontrée pour améliorer la fonction immunitaire et réduire la gravité des infections respiratoires. Le zinc, essentiel à la fonction immunitaire et que l'on trouve dans les fruits de mer, les noix et les graines, est particulièrement vital pour les personnes âgées. Les aliments transformés et riches en matières grasses devraient être consommés avec modération car ils peuvent provoquer une inflammation et rendre le système immunitaire moins efficace.

Maintenir un système immunitaire fort nécessite un sommeil adéquat. Lorsque nous dormons, notre corps produit des cytokines, qui sont des protéines jouant un rôle important dans la défense de l'organisme contre les infections et l'inflammation. Un manque de sommeil peut entraîner une réduction de la synthèse des cytokines, rendant ainsi une personne plus susceptible aux infections. Il est recommandé que les enfants et les adolescents obtiennent encore plus de sommeil que le minimum de 7 à 9 heures par nuit, tandis que les adultes devraient obtenir au moins cette quantité.

L'activité physique peut améliorer la fonction immunitaire en favorisant la circulation sanguine et en améliorant le flux lymphatique. L'exercice a été démontré pour renforcer la production et l'activité des cellules immunitaires, telles que les cellules tueuses naturelles et les lymphocytes T, qui peuvent aider à combattre les infections. Il est recommandé aux individus de faire au moins 150 minutes d'exercice par semaine à une intensité modérée, ou 75 minutes d'exercice par semaine à une intensité élevée.

La production de cortisol, une hormone qui inhibe la fonction immunitaire, peut être augmentée en réponse au stress, ce qui peut avoir pour effet de rendre le système immunitaire moins efficace. Par conséquent, il est essentiel d'explorer et d'expérimenter diverses méthodes de gestion du stress, telles que le yoga, la respiration profonde, la méditation et d'autres pratiques de relaxation. Participer à des activités telles que les loisirs, les visites avec des proches et l'exercice physique peut également contribuer à réduire le stress.

Il est essentiel de rester hydraté pour maintenir un système immunitaire fort. La déshydratation peut entraîner une réduction du flux lymphatique, ce qui peut avoir un effet sur la fonction du système immunitaire. Il est recommandé aux individus de consommer au moins 8 verres d'eau par jour, et encore plus lors de périodes d'activité physique intense ou lorsque le temps est particulièrement chaud ou humide.

Le tabagisme peut affaiblir le système immunitaire en endommageant les cils du tractus respiratoire, ce qui peut entraver la capacité de l'organisme à éliminer les agents pathogènes. De même, la consommation excessive d'alcool peut supprimer le développement des cellules immunitaires, ce qui peut à son tour compromettre le système immunitaire. Cesser de fumer et réduire la consommation d'alcool sont deux changements de mode de vie qui peuvent améliorer la fonction immunitaire et réduire la probabilité de contracter une maladie virale.

Conseils pour obtenir un sommeil plus réparateur, gérer le stress et intégrer l'exercice dans votre emploi du temps quotidien

Afin de maintenir un système immunitaire robuste et d'augmenter sa résistance aux attaques virales, il est essentiel de donner la priorité à un sommeil suffisant, de gérer son niveau de stress et d'intégrer une activité physique régulière dans sa routine quotidienne. Cette section vise à discuter des moyens d'améliorer la qualité de votre sommeil, de réduire votre niveau de stress et d'incorporer une activité physique dans votre quotidien pour vous aider à mener une vie plus saine et équilibrée.

Il est nécessaire d'obtenir un sommeil adéquat pour maintenir la santé générale, y compris le bon fonctionnement du système immunitaire. Voici quelques conseils pour améliorer la qualité de votre sommeil :

Maintenir un horaire régulier pour le coucher et le réveil chaque jour peut aider à réguler le cycle veille-sommeil naturel de votre corps, facilitant l'endormissement et vous permettant de vous sentir plus rafraîchi lorsque vous vous levez.

Prendre l'habitude de faire quelque chose de relaxant avant le coucher peut envoyer un signal à votre corps qu'il est temps de se détendre et de se préparer au sommeil. Cela peut inclure des activités telles qu'un bain relaxant, la lecture d'un livre ou la pratique de techniques de relaxation comme la méditation ou la respiration lente et profonde.

L'environnement de votre chambre peut influencer considérablement votre capacité à vous endormir et à rester endormi. Assurez-vous que votre chambre soit sombre, fraîche et silencieuse pour créer une atmosphère propice au sommeil. Investir dans une literie de soutien ainsi qu'un matelas confortable peut également contribuer à améliorer la qualité du sommeil.

Il peut être plus difficile de s'endormir après avoir participé à des activités stimulant l'esprit, telles que l'utilisation de gadgets technologiques ou le visionnage de programmes de télévision excitants. Évitez ces activités au moins une heure avant d'aller vous coucher.

La caféine et l'alcool sont connus pour perturber les schémas de sommeil normaux et diminuer la qualité du sommeil. Réduisez la quantité de ces substances que vous consommez, notamment dans les heures précédant votre heure de coucher.

Le stress à long terme peut avoir des effets préjudiciables non seulement sur la santé physique, mais aussi sur la santé mentale et la fonction immunitaire. Voici quelques conseils pour réduire le stress dans votre vie :

Si vous pouvez identifier les facteurs qui contribuent au stress dans votre vie, vous serez en meilleure position pour développer des mécanismes de coping efficaces. Les activités qui aident à soulager le stress et à favoriser la détente, telles que le yoga, la méditation et la respiration profonde, en sont des exemples.

Le fait de passer du temps avec des amis et de la famille peut apporter à la fois un soutien social et une réduction du niveau de stress. Consacrer du temps à des activités qui vous procurent du plaisir, comme la lecture, l'écoute de musique ou la pratique d'un passe-temps, peut contribuer à réduire le stress et à améliorer votre bien-être général.

Demander l'aide d'un professionnel de la santé mentale peut être bénéfique si vous avez du mal à faire face aux effets du stress par vous-même.

Participer régulièrement à une activité physique peut aider à renforcer la fonction immunitaire ainsi que la santé générale. Voici quelques suggestions pour intégrer l'activité physique dans votre routine quotidienne :

Si vous n'avez jamais fait d'exercice auparavant, il est préférable de commencer par des objectifs faciles à atteindre et d'augmenter progressivement l'intensité et la durée de vos exercices au fil du temps. S'engager dans des activités que vous appréciez peut vous aider à maintenir une routine d'exercice à long terme.

Il est important de fixer des objectifs pour votre programme de remise en forme qui soient à la fois réalistes et stimulants afin de maintenir votre motivation et d'obtenir des résultats. Augmenter votre niveau global d'activité physique peut être accompli en accomplissant des tâches simples, telles que prendre les escaliers plutôt que l'ascenseur ou marcher plutôt que conduire. Vous pouvez vous aider à rester responsable et motivé en faisant de l'exercice avec un partenaire d'entraînement, en vous inscrivant à un cours d'exercice ou en rejoignant un club de sport.

En conclusion, apporter des changements à votre mode de vie pour augmenter la quantité de sommeil que vous obtenez, réduire le niveau de stress que vous éprouvez et augmenter la quantité d'exercice que vous faites peut favoriser un système immunitaire fort et créer une résilience contre les menaces virales. En suivant ces étapes, vous pouvez améliorer votre santé générale et votre bien-être, à la fois à court terme et à long terme.

Aperçu d'autres soutiens naturels pour le système immunitaire

Notre système immunitaire agit comme première ligne de défense contre les agents pathogènes dangereux tels que les maladies et les infections. Il est composé d'un réseau complexe de cellules, de tissus et d'organes qui coopèrent pour défendre le corps contre les germes pathogènes, y compris les parasites, les virus et les bactéries. Il est essentiel de maintenir son système immunitaire en bonne santé afin de se prémunir contre les maladies et d'aider le corps dans sa lutte contre les infections. Un système immunitaire sain peut être soutenu et renforcé de diverses manières, notamment grâce à l'utilisation de thérapies naturelles et de compléments alimentaires. Voici un aperçu de certains des stimulants du système immunitaire naturels les plus puissants :

La vitamine C est un antioxydant efficace qui contribue de manière significative au bon fonctionnement du système immunitaire. Elle aide à stimuler la production de globules blancs, qui sont chargés de combattre les infections et sont produits en conséquence de cette stimulation. Les agrumes, les baies, les kiwis, la papaye, le brocoli, les épinards et les tomates sont des exemples d'aliments riches en vitamine C.

Il est impossible pour le système immunitaire de fonctionner efficacement sans des niveaux suffisants de vitamine D. Elle améliore non seulement la capacité des cellules immunitaires à lutter contre les infections, mais elle contribue également à réguler la production globale de cellules immunitaires. L'exposition au soleil est la meilleure source de vitamine D, mais on peut également la trouver dans les poissons gras, les produits laitiers enrichis et les compléments alimentaires.

Le zinc est un minéral essentiel pour la fonction immunitaire. Il aide à stimuler la production de globules blancs et joue également un rôle dans le développement des anticorps. Les aliments riches en zinc comprennent les huîtres, le bœuf, le porc, le poulet, les haricots et les noix.

Les probiotiques sont de bonnes bactéries qui résident dans l'intestin et améliorent la santé du système immunitaire. Ils aident à maintenir un équilibre sain des bactéries intestinales et favorisent également la production d'anticorps. Les probiotiques se trouvent dans des aliments fermentés tels que le yaourt, le kéfir, le kimchi et la choucroute, ainsi que dans les compléments alimentaires.

Les herbes adaptogènes sont un groupe d'herbes qui aident le corps à faire face au stress et à promouvoir l'équilibre dans l'organisme. Certaines herbes adaptogènes qui soutiennent le système immunitaire comprennent l'ashwagandha, le rhodiola et l'astragale.

Les huiles essentielles sont des extraits de plantes hautement concentrés qui peuvent contribuer à renforcer le système immunitaire. Certaines huiles essentielles connues pour leurs propriétés de soutien immunitaire comprennent l'eucalyptus, l'arbre à thé, la menthe poivrée et le citron.

Le thé vert a une forte concentration d'antioxydants et contient également des substances chimiques bénéfiques pour le système immunitaire. Il contribue en augmentant la production de cellules immunitaires, améliorant ainsi leur capacité à lutter contre les infections.

L'exercice est un moyen important de soutenir la fonction immunitaire. Il aide à réduire l'inflammation, à améliorer la circulation sanguine et à stimuler la production de globules blancs. De plus, une activité physique régulière peut contribuer à réduire le stress et à favoriser un meilleur sommeil, deux éléments essentiels pour une fonction immunitaire optimale.

Obtenir suffisamment de sommeil est important pour la fonction immunitaire. Pendant que nous dormons, notre corps produit des cytokines, qui sont des protéines qui jouent un rôle important dans la défense de l'organisme contre les infections et l'inflammation. Le manque de sommeil sur une longue période peut avoir pour effet de supprimer la fonction immunitaire et de rendre l'organisme plus vulnérable aux maladies.

Les performances du système immunitaire peuvent être négativement affectées par le stress chronique. Trouver des stratégies pour réduire le stress, comme le yoga, la respiration profonde ou la méditation, peut aider le système immunitaire et améliorer la santé générale.

Il est essentiel de se rappeler que les soutiens naturels au système immunitaire, bien qu'ils puissent être bénéfiques, ne doivent en aucun cas être utilisés en remplacement d'une thérapie médicale ou de conseils. Il est essentiel de consulter un professionnel de la santé dès que possible si vous remarquez des symptômes pouvant indiquer une infection ou une maladie. Si vous avez une affection médicale préexistante ou si vous prenez déjà des médicaments, il est extrêmement important de discuter de l'utilisation de tout complément alimentaire ou remède à base de plantes avec un professionnel de la santé qualifié avant de commencer leur utilisation.

Chapitre VI

Antiviraux à Base de Plantes pour des Menaces Virales Spécifiques

Aperçu des antiviraux à base de plantes les plus efficaces pour lutter contre diverses menaces virales

Les êtres humains peuvent être exposés à une grande variété de dangers viraux, chacun nécessitant une stratégie différente en matière de traitement et de prévention. Les antiviraux à base de plantes ont connu une montée en popularité ces dernières années en tant qu'alternative efficace aux médicaments antiviraux conventionnels pour le traitement des infections virales. Dans cette section, nous discuterons de certaines des menaces virales les plus courantes et des antiviraux à base de plantes qui se sont révélés efficaces contre elles.

Le virus de la grippe est la principale cause de la grippe, plus souvent connue sous le nom de grippe. La grippe est une maladie respiratoire hautement contagieuse. Les symptômes comprennent de la fièvre, de la toux, un mal de gorge, des douleurs musculaires et de la fatigue. Le virus de la grippe peut se transmettre d'une personne à l'autre soit par l'air que nous respirons, soit par le contact avec des objets ou des surfaces contaminés.

Le sureau, l'échinacée et le gingembre sont des exemples d'antiviraux à base de plantes puissants qui se sont révélés utiles contre la grippe. Il a été prouvé que le sureau bloque la capacité du virus de la grippe à pénétrer dans les cellules hôtes, réduisant ainsi l'intensité des symptômes de la grippe et leur durée. Il a été découvert que l'échinacée peut stimuler la formation de globules blancs dans le corps, ce qui peut aider à lutter contre le virus. Le gingembre peut réduire l'intensité des symptômes de la grippe en raison de ses propriétés antivirales et anti-inflammatoires.

Le virus de l'herpès simplex (HSV) est la source de l'infection virale connue sous le nom d'herpès. Il existe deux types d'herpès : l'herpès buccal, qui provoque des boutons de fièvre sur ou autour de la bouche, et l'herpès génital, qui provoque des plaies dans la région génitale. L'herpès est une affection considérée comme chronique car elle peut réapparaître à tout moment de la vie d'une personne.

La racine de réglisse et la mélisse sont deux exemples de plantes qui ont démontré avoir des propriétés antivirales et être utiles contre l'herpès. On a découvert que la racine de réglisse contient une substance appelée glycyrrhizine, capable d'empêcher la réplication du virus de l'herpès. Il a été démontré que la mélisse, qui contient des caractéristiques antivirales, peut réduire à la fois la fréquence et la gravité des épidémies d'herpès.

Le virus du papillome humain, parfois appelé VPH, est un virus qui se propage par contact sexuel et a été lié à la fois aux verrues génitales et au cancer du col de l'utérus. En plus du larynx, de l'anus et du pénis, le virus peut également provoquer un cancer dans d'autres régions du corps.

Le thé vert et l'astragale sont deux exemples de plantes ayant des propriétés antivirales bénéfiques contre le VPH. Les catéchines, présentes dans le thé vert, ont été démontrées pour réduire le risque de contracter le virus du VPH en empêchant sa réplication. L'astragale a été découvert pour stimuler le système immunitaire et peut aider le corps à lutter contre le virus.

Le système immunitaire est affaibli et le corps a plus de difficulté à lutter contre d'autres maladies en raison du virus de l'immunodéficience humaine, également connu sous le nom de VIH. Si aucun traitement n'est reçu, le syndrome d'immunodéficience acquise (SIDA), causé par le VIH, peut se développer.

L'ail et le millepertuis sont deux exemples d'antiviraux à base de plantes efficaces qui ont été étudiés pour leur potentiel à lutter contre le VIH. L'allicine, présente dans l'ail, est un composé qui a été démontré pour inhiber la reproduction du virus du VIH. L'ail est souvent utilisé comme traitement contre le VIH. Il a été démontré que la prise de millepertuis peut réduire la quantité de VIH dans le corps d'une personne.

Les infections virales qui affectent le foie comprennent l'hépatite B, C et CHépatite B. Le virus de l'hépatite B peut se propager lorsqu'un sang contaminé ou d'autres fluides corporels sont touchés, tandis que le virus de l'hépatite C est transmis presque exclusivement par contact avec du sang infecté.

Les antiviraux à base de plantes qui se sont révélés efficaces contre l'hépatite B et C comprennent le chardon-Marie et la racine de réglisse. Le chardon-Marie contient un composant appelé silymarine qui a été prouvé pour protéger le foie et réduire l'inflammation provoquée par les virus de l'hépatite. Ces avantages ont été démontrés par la recherche. Les chercheurs ont découvert que la racine de réglisse possède des caractéristiques antivirales et que ces propriétés peuvent aider le corps à lutter contre les infections hépatiques.

Directives de dosage et effets secondaires potentiels pour chaque antiviral à base de plantes

À mesure que les individus recherchent des méthodes alternatives pour prévenir et traiter les infections virales, l'utilisation d'antiviraux à base de plantes est devenue de plus en plus courante. Bien que ces traitements ne soient pas connus pour présenter de risques importants pour la santé, il est essentiel de se familiariser avec les instructions de dosage correctes pour chaque plante et d'être conscient de tout effet indésirable potentiel.

L'échinacée peut être prise sous forme de tisane, de teinture ou de capsule. Pour préparer une tisane d'échinacée, faites infuser une à deux cuillères à café de racine d'échinacée séchée ou de feuilles dans une tasse d'eau bouillante pendant dix à quinze minutes, puis buvez la tisane jusqu'à trois fois par jour. Pour utiliser la teinture, prenez entre 2 et 4 millilitres (mL) trois fois par jour. Pour les capsules, prenez 300 à 500 mg trois fois par jour. Rarement, une personne pourrait éprouver des effets secondaires tels qu'un estomac contrarié, des vertiges ou une éruption cutanée. L'échinacée devrait être évitée par les personnes hypersensibles aux plantes de la famille des astéracées.

L'ail peut être consommé cru, cuit ou sous forme de complément alimentaire. L'ail cru haché peut être ajouté aux aliments, ou il peut être utilisé sous forme de gélules ou de comprimés en tant que complément alimentaire. La quantité quotidienne de complément d'ail à prendre se situe entre 600 et 1 200 mg. L'utilisation de l'ail est généralement considérée comme inoffensive, bien que sa surconsommation puisse entraîner des problèmes digestifs et une mauvaise haleine. Avant d'utiliser des compléments d'ail, les personnes déjà sous médicaments anticoagulants devraient en discuter avec leur médecin.

Le sureau peut être pris sous forme de tisane, de sirop ou de capsule. La tisane de sureau peut être préparée en faisant infuser une à deux cuillères à soupe de baies de sureau séchées dans une tasse d'eau bouillante pendant dix à quinze minutes. La tisane peut être consommée jusqu'à trois fois par jour. La dose recommandée pour le sirop est d'une cuillère à soupe (15 mL) quatre fois par jour. Pour les capsules, prenez 500 mg trois fois par jour. Les effets secondaires peuvent inclure une légère irritation de l'estomac et des diarrhées. Une consommation excessive de sureau peut entraîner des effets dangereux, il convient donc d'éviter ce fruit autant que possible.

La réglisse peut être consommée sous forme de tisane, de capsule ou d'extrait. Pour préparer une tisane de racine de réglisse, faites infuser une à deux cuillères à café de racine de réglisse séchée dans une tasse d'eau bouillante pendant dix à quinze minutes. La tisane peut être prise jusqu'à trois fois par jour. Prenez entre 200 et 400 milligrammes de gélules trois fois par jour. Prenez entre 250 et 500 milligrammes de l'extrait trois fois par jour. Les personnes atteintes d'hypertension artérielle ou de maladie rénale devraient éviter de consommer de la réglisse. Une utilisation prolongée pourrait entraîner une carence en potassium, en plus d'autres conséquences indésirables.

L'andrographis peut être prise sous forme de capsule ou de comprimé. La posologie recommandée est de 400 à 800 mg deux fois par jour. Les effets secondaires peuvent inclure des troubles digestifs, des maux de tête et de la fatigue. L'andrographis peut interagir avec certains médicaments, notamment les anticoagulants, il est donc important de consulter un professionnel de la santé avant de l'utiliser.

La feuille d'olivier peut être ingérée sous forme de tisane, de pilule ou d'extrait. Pour préparer une tisane de feuilles d'olivier, faites infuser une à deux cuillères à soupe de feuilles d'olivier séchées dans une tasse d'eau bouillante pendant dix à quinze minutes, puis buvez la tisane jusqu'à trois fois par jour. Pour les gélules, prenez de 500 à 1 000 mg deux fois par jour. Pour l'extrait, prenez de 500 à 1 000 mg deux fois par jour. La feuille d'olivier est généralement considérée comme sûre à consommer dans la plupart des cas ; cependant, une consommation excessive peut entraîner des troubles gastro-intestinaux.

Il est essentiel de se rappeler que la posologie correcte ainsi que les éventuels effets indésirables peuvent varier en fonction de facteurs tels que l'âge, l'état de santé actuel et les autres médicaments pris en même temps. Avant de commencer un traitement avec un nouvel remède à base de plantes, il est important de discuter de votre situation avec un professionnel de la santé. De plus, il est essentiel d'obtenir des compléments alimentaires à base de plantes auprès de sources fiables afin de s'assurer qu'ils sont à la fois purs et efficaces.

Conclusion

Récapitulation des points principaux du livre et de la manière dont les antiviraux à base de plantes peuvent aider à renforcer la résilience contre les menaces virales

Tout au long de ce livre, nous avons exploré le monde des antiviraux à base de plantes et comment ils peuvent être utilisés pour soutenir le système immunitaire et aider le corps à se défendre contre les menaces virales. Nous avons couvert les nombreuses classes d'antiviraux à base de plantes, leurs caractéristiques et les avantages potentiels qu'ils peuvent offrir, ainsi que leurs dosages recommandés et les éventuelles réactions indésirables qui peuvent se produire. De plus, nous avons examiné l'utilisation des antiviraux à base de plantes en association avec les traitements conventionnels, ainsi que l'utilisation d'autres renforçateurs naturels du système immunitaire, afin de renforcer la résistance aux attaques virales.

L'une des principales leçons que l'on peut tirer de la lecture de cet e-book est la nécessité de comprendre le système immunitaire et son fonctionnement pour se protéger contre les infections virales. Le système immunitaire est un réseau complexe composé de cellules, de tissus et d'organes qui coopèrent pour reconnaître et détruire les organismes nuisibles. Lorsque nous comprenons mieux comment fonctionne le système immunitaire, nous sommes mieux à même de prendre des mesures pour le soutenir et renforcer notre résistance aux menaces virales.

Les antiviraux à base de plantes sont un outil puissant pour soutenir le système immunitaire et aider le corps à lutter contre les infections virales. L'échinacée, l'ail, le sureau, la réglisse et l'andrographis ne sont que quelques exemples d'antiviraux à base de plantes puissants qui peuvent être utilisés pour soutenir le système immunitaire. Il est essentiel de suivre les directives posologiques et d'être conscient de tout effet indésirable potentiel lors de l'utilisation de ces herbes, car chacune d'entre elles possède des qualités distinctives et peut offrir des avantages potentiels.

En plus des antiviraux à base de plantes, il existe d'autres supports naturels pour le système immunitaire qui ont le potentiel d'être utiles. Maintenir un système immunitaire fort et en bonne santé nécessite une combinaison de facteurs liés au mode de vie, notamment la réduction du stress, la pratique régulière d'une activité physique et une alimentation équilibrée.

De plus, il est essentiel que nous ayons une solide compréhension des dangers viraux spécifiques qui peuvent nous menacer ainsi que des antiviraux à base de plantes les plus efficaces contre ces dangers. Par exemple, le sureau a été prouvé efficace contre le virus de la grippe, et l'andrographis a été utilisé pour traiter la fièvre dengue et diverses autres maladies tropicales.

En fin de compte, l'utilisation d'antiviraux à base de plantes peut être un outil précieux pour renforcer la résilience face aux menaces virales. Si nous sommes en mesure de comprendre les caractéristiques et les avantages potentiels de ces herbes, ainsi que les dosages recommandés et les éventuelles réactions indésirables, nous pourrons les intégrer dans nos routines de santé de manière à la fois sûre et bénéfique. En combinant les antiviraux à base de plantes avec d'autres supports naturels pour le système immunitaire ainsi que des traitements conventionnels lorsque cela est nécessaire, il est possible d'établir un système immunitaire solide et de mieux se défendre contre les menaces virales.

Réflexions finales et appel à l'action pour renforcer votre système immunitaire et vous défendre contre les menaces virales.

Alors que nous arrivons à la fin de cet e-book, il est essentiel de se rappeler que le développement d'un système immunitaire fort est absolument nécessaire pour se protéger contre les dangers posés par les infections virales. Nous avons examiné les différentes façons dont les antiviraux à base de plantes peuvent renforcer notre système immunitaire, y compris leurs caractéristiques, leurs applications et les avantages potentiels. Nous avons également discuté des différentes formes d'administration et des directives posologiques pour chaque remède à base de plantes.

En plus des herbes antivirales, nous avons abordé d'autres renforçateurs naturels du système immunitaire, tels que les modifications de notre mode de vie, telles que l'augmentation de la quantité de sommeil que nous obtenons, la réduction du stress que nous nous permettons d'endurer, et l'augmentation de l'activité physique que nous faisons. De plus, nous avons examiné les dangers spécifiques liés aux virus et les antiviraux à base de plantes les plus efficaces contre eux.

Il est essentiel de se rappeler que les antiviraux à base de plantes, bien qu'ils puissent être un outil efficace pour renforcer la résistance aux dangers viraux, ne doivent pas être utilisés comme seule solution. Il est essentiel de suivre, lorsque cela est nécessaire, les recommandations et les traitements des professionnels de la médecine traditionnelle, en particulier en cas d'infections graves.

L'utilisation d'antiviraux à base de plantes dans le cadre de notre routine quotidienne peut être une mesure préventive importante que nous pouvons prendre pour renforcer notre système immunitaire et mieux nous protéger contre les infections virales. Cependant, il est essentiel de le faire sous la supervision d'un expert médical qualifié et d'être conscient des effets indésirables potentiels et des indications pour ne pas utiliser le traitement.

Enfin, il est important de se rappeler que le renforcement d'un système immunitaire fort et la protection contre les menaces virales sont un processus continu. Cela demande de la dévotion et des efforts pour maintenir un mode de vie sain, y compris l'incorporation de supports naturels et la recherche d'une assistance médicale quand cela est nécessaire.

Nous encourageons vivement les lecteurs à prendre des mesures pour renforcer leur système immunitaire et se protéger contre les dangers posés par les infections virales. Même de légères modifications des habitudes que nous suivons au quotidien peuvent avoir un impact considérable sur la santé et le bien-être général que nous ressentons. Sur ce chemin vers une santé optimale, nous espérons que cet e-book a été utile en fournissant à la fois des informations et des conseils, et nous vous remercions de l'avoir lu.

Merci d'avoir acheté et lu/écouté notre livre.
Si vous avez trouvé ce livre utile, nous vous invitons à prendre quelques minutes pour laisser un avis sur la plateforme où vous avez acheté notre livre.
Vos commentaires nous sont extrêmement précieux.

Milton Keynes UK
Ingram Content Group UK Ltd.
UKHW020801241123
433194UK00016B/1063

THE FORGOTTEN SONS

UNTOLD STORIES OF INDIAN CRICKET

TRINANJAN CHAKRABORTY

INDIA • SINGAPORE • MALAYSIA

No.8, 3rd Cross Street
CIT Colony, Mylapore
Chennai, Tamil Nadu – 600004

First Published by Notion Press 2020

ISBN 978-1-64899-964-2

For
Ryan and Shanaya –
the left and right
parts of my heart

To the loving memory of late
Shri Satya Narayan Chakraborty
Without the magical cricket tales of days
of yore that I heard from him in childhood,
this book would have never happened.

CONTENTS

ACKNOWLEDGEMENTS

My first thank you must go to the person who is reading this book. I am completely aware that you had a multitude of options on how to spend your time. The fact that you are giving a first-time writer a chance means you deserve a heart-felt thanks from my side.

The wonderful folks at Notion Press – for helping a novice writer realize his dream.

There are a few other people to whom I must express my sincere gratitude.

To my parents – it is my firm belief that no good is ever achieved without the blessings of ones' parents – no words of gratitude are enough. It is the biggest regret of my life that my father is not around to see me realize my dream. But I am pretty sure he continues to bless me from wherever he is. My family – my sisters, my brother(s)-in-law and my nephew – constant source of strength to me. My wife for being the rock of Gibraltar in the (at times) stormy seas of my life.

Suryasish Goswami, Suman Bhowmick, Anindya Gupta, Anindya Dasgupta and Kinjal Sen – for their assistance and inputs in the writing process.

All the wonderful friends I have made in the course of my life – in school, college, MBA and all through my work life. Every one of you mean a lot to me.

ESPN Cricinfo – for their incredible treasure house of statistics.

INTRODUCTION

I grew up in the 1980s and 90s. Hence, it's fair to say that my early years overlapped with the cricket explosion in the country. My father bought our first TV set during the 1983 World Cup. My earliest memory of the game was India winning the Benson & Hedges World Series down under. Thus, I guess it was inevitable that I would fall in love with the beautiful game of cricket. Growing up, I had a sports crazy *mama* (maternal uncle) whose favourite pastime was to regale all those around him with tales of days past – of the glorious men who lit up our cricket fields. Since the grown-ups usually gave him the slip, willingly or unwillingly, I often ended up as his only audience. His was the pre-television generation by a long distance. Reports in newspapers, radio commentary and the occasional test match live at the Eden Gardens (probably once in three-four years) were the ways of following the game for them. The stories of Indian cricket I heard from him evoked vivid and colourful imageries in my young mind that have long stayed with me even as my uncle bid adieu to us some years back.

A couple of months back, when the world came to a standstill as a result of the coronavirus crisis, confinement at home became a strange reality of life. It left me, like many of us, with time on hand. I have always enjoyed writing – starting off on social media and then moving to blogging.

It was then that it occurred to me to put down some of the tales that I have grown up with in the form a book. Sports has changed so much over time. I remember seeing a Rod Laver interview a few years back, in which the Australian legend had said that at times he fails to recognize modern tennis as the same game he played. Cricket is also no exception to the same. Today, many would find it incredulous to believe that Freddy Trueman – the legendary English fast bowler – had to plead with his Royal Air Force station commander for leave in order to make his test debut and finally got it by bribing his chief with tickets for the match. Or that India, on their maiden tour of the Caribbean, sailed in a banana boat from the UK – a small stowaway used for shipping bananas from Barbados to London, which carried the Indian team on its journey back home. In India, the game arrived with the Englishmen, then found patronage among the royals - who saw in it a way of currying favour with their colonial bosses - and became a mass game with the formation of religion-based cricket clubs that earned the wrath of Mahatma Gandhi and the Congress.

Till about the early 1960s, cricket remained more in the niche space, before gradually going more mainstream in that decade – thanks in large parts to the charismatic '60s men of Indian cricket. The twin victories over West Indies and England in 1971 and the emergence of, first the famous spin quartet and then the two *little masters* – Vishwanath and Gavaskar – provided the game a major boost of popularity. And when Kapil's Devils won the Prudential Cup in 1983, the game had well and truly arrived.

Over the last century and more, Indian cricket has produced many giants of the game. This book, though, focuses on some of the lesser known faces from Indian cricket history – men who in their time made vital contributions to the sport but whose stories somehow have receded into the background with the passage of time. Most of them played before the advent of television, hence their tales survived more in the memories of their contemporary generations. Having grown up hearing their stories, I made a concerted effort to know more about them. As I went through their stories, I felt that the same deserve to be told to a wider audience today, and that's what led to this effort. It is not really a book on Indian cricket history – there are some fantastic works in that space, none better in my opinion than Mihir Bose's seminal piece of work – 'A History of Indian Cricket'. This book is more about the life and times of 16 magnificent men from Indian cricket's past about whom you probably do not know a lot.

It was a hugely enjoyable process for me - writing about these fascinating characters. Since this is my first attempt at writing anything longer than a blog, in all probability there remains much scope of improvement. But, hopefully, those who choose to read this book will also enjoy the tales of these magnificent men as much as I have and, if so, that would be my biggest achievement.

Chapter I

THE WIZARD OF CHANGE

The introduction of cricket in India was through the European colonialists. Soon the game gained popularity among the Indian royalty who saw in it an opportunity to curry favours from their colonial masters. Probably the first Indian community who started playing the game in an organized manner were the Parsees. The first Parsee cricket club – Oriental Cricket Club – came up in 1848 and played against the European Bombay Gymkhana in that year. In 1878, the first tour of England by a Parsee cricket team was conceived. Unfortunately, AB Patel, the chief promoter, got involved in a libel suit and the tour fell through. However, in 1886, finally a Parsee team led by Dr. Dhunshijaw Patel toured England and played 28 matches. Two years later, another tour by Parsee players took place. None of the tours were granted first-class status though.

Meanwhile, cricket's popularity was growing. The annual Bombay Presidency match between the Europeans and the Parsees had now become the cynosure of the cricketing season. Similar encounters had also begun in Poona. The best European cricketer in India at that point of time was Colonel JG Greig. One day, Greig, while batting at the nets, called up a young *mali* boy to bowl at him. Back then, bowling was a non-glamorous part of the game, so it was common practice for European officers to ask their native servants to bowl at them. The boy bowled left arm spin. Soon, he had Greg in all sorts of trouble with his brilliant bowling. Greig was awe-struck by the young boy's ability to turn the ball both ways. He asked him to report every day at the nets one hour before scheduled practice time to bowl at him. Greig further incentivized him by promising to pay eight *annas* (50 paise in current terms) every time he was dismissed. Thus, began the incredible story of arguably the first superstar of Indian cricket.

The boy was Palwankar Baloo – born on March 19, 1876 in Dharwad in a Dalit family who were leather workers (*chamar*) by profession – an untouchable class quite at the bottom of the caste hierarchy. Fortunately for Baloo, his father had joined as a *sepoy* (soldier) in the 112th Infantry Regiment of the British Indian army, stationed in Poona. Growing up, Baloo and his younger brother Shivram played cricket with equipment left behind by European officers, thus developing an interest for the game. Baloo had found work with the Parsee club as a *mali* – engaged in rolling and watering pitches, putting up and dismantling nets and running errands - for a monthly salary of Rs 3. In 1892, the exclusively European Poona Club hired him for similar duties, giving him a raise of Re 1. It was here that he was spotted by JG Greig. Practicing against Baloo's spin helped Greig hone his batting while Baloo also got better and better in his craft. However, Greig's secret didn't stay hidden for long and soon his team-mates came to know of it. The news of Baloo's spin prowess reached the ears of the Hindoos of Deccan Gymkhana. Desperate to prove a point to the Europeans, they saw an opportunity. However, there was a major obstacle.

Palwankar Baloo belonged to an untouchable caste. Having an untouchable low caste as a fellow team member was unthinkable for the proud upper caste players of the Hindoos team. Fortunately for Baloo, finally wiser judgment prevailed, and he was called up. However, it was a difficult proposition. Since he belonged to the untouchable class, even on the ground, Baloo couldn't touch his team-mates. The ball was placed on the ground and rolled or kicked towards him. When he took a wicket – which was often – Baloo couldn't really celebrate with the rest of the team as he wasn't allowed to touch them. During breaks, Baloo wasn't allowed to share meals with his team-mates. He sat alone on the ground and had his food and before going back on the ground, was required to wash his dishes himself. Despite all this, Baloo's bowling kept going from strength to strength.

In a few years, news of his exploits reached Bombay. In 1896, the Parmanandas Jivandas Hindoo Gymkhana hired Baloo to play for their team. Due to the deadly plague that broke out in Poona, Baloo moved his family to Bombay as well. He enlisted in the army and later joined Central Indian Railways, turning out for their corporate team as well, besides the Gymkhana. Bombay offered Baloo significantly better cricketing opportunities, though not better playing conditions in terms of his relationship with other players. However, Baloo's impressive performances gradually earned him the respect of his upper caste teammates. His fame spread across the land and in 1901, the Maharajah of Natore (in present-day Bangladesh) hired Palwankar Baloo to play for an all-star side he was putting together. It was an unbelievable moment for a man from the lowest caste, playing alongside a royal – proving the old adage 'sports is a great leveller'.

Baloo's finest moment came in the Presidency tournament of 1906. The Hindoos faced off against the

Europeans. Batting first, the Hindoos scored 242 and bowled out the Europeans for 191, getting a healthy lead. However, they were dismissed for 160 in the second innings, leaving the Europeans to chase 212 for a win. Baloo had other ideas. He weaved a web around the hapless batsmen, picking up five wickets as the Europeans, who were the favourites, were shot out for a paltry 102, delivering a famous victory for the Hindoos. Coming at the height of a nationwide nationalist fervour, this victory electrified the country - with Baloo's fame spreading far and wide. It was only a few years later that finally the Bombay Hindoo Gymkhana allowed Baloo to inter-dine with the other players. Soon, his brother Shivram also gained entry into the side.

For the next five years, the Hindoos maintained a vice-like grip on the Triangular tournament with Baloo at his brilliant best. It is said that on the wet, sticky wickets of monsoon time Bombay, Palwankar Baloo's bowling was like a nightmare for the batsmen. Baloo was more than a handy batsman as well. Unfortunately, due to the class divide that was still dominant, he was never allowed to bat up the order. All this while, the plans for an Indian cricket team to tour England were afoot. Since the Parsee tours of the 1880s, no further trips had happened. In 1903, a plan was formed but it didn't take off due to the growing political disturbance in India and also over disagreements between Hindoos, Parsees and Muslims over representation in the squad. In the succeeding years, armed struggle against the British, particularly in Bengal Presidency further spoiled the pitch. Against this backdrop, several Indian royals and wealthy businessmen, in collaboration with a section of the British ruling class, planned a tour that they felt would help improve the relationship of India with her colonial master.

In 1911, the said trip finally materialized. Leading the side was the newly enthroned Maharajah of Patiala, Bhupender Singh – less for his cricketing prowess and more for the clout he enjoyed with the British administration in India. The rest of the 15-man touring party comprised six Parsees, five Hindoos and three Muslims, thus satisfying all stakeholders. Among the Hindoo players selected were the Palwankar brothers – Baloo and Shivram. The tour enjoyed financial patronage from the Tata scions – Dorabji and Ratanji – keen cricketers themselves. A send-off party for the team before the start of their journey was attended by the who's who of Bombay society, including an up and coming young barrister called Muhammad Ali Jinnah. In the event, the trip proved a bit of a disaster. The players struggled with the cold and difficulties and also with the food. The Maharajah was quite indifferent to the problems of his team, busy as he was in socializing with the London high society. Meanwhile, the crowds were left disappointed with the Indian players turning out in regular flannels, expectant as they were of them appearing in some exotic oriental gear!

On the field too, the results were poor. The squad was scheduled to play the strongest opponents at the start of the tour – resulting in ten consecutive defeats. In all, they played 23 matches – 14 of which were given first-class status. They won two of the first-class games, drawing two and losing the remaining ten. Despite the disastrous team performance, Baloo was an exception. He took a total of 114 wickets on the tour, including 87 in the first-class games. He also scored 376 runs batting down the order. When the team returned, Baloo's fame had been heightened several times. At a public event in Poona, nationalist leader Bal

Gangadhar Tilak felicitated him for his achievements. The brothers Palwankar were also honoured in a public event in Bombay, where the main address of the evening was delivered by a young leader by the name of Bhimrao Ambedkar.

Baloo continued to be a star player for the Bombay Hindoos in the coming years at the Bombay annual event – now a quadrangular with a Muslim team playing. Unfortunately, despite being one of the senior most and easily the best player of the side, his caste again came into play as he was denied the opportunity of becoming captain. In fact, in 1913, the season's captain MD Pai himself admitted, "*The honour of captainship should have been given to my friend Mr. Baloo.*" But he continued to be denied year after year. In the intervening years, two more of his brothers, Ganpat and Vithal, also joined the Hindoos team. The matter of the captaincy came to a major confrontation in the 1920/21 season. Baloo was dropped from the team and his younger brother Vithal, the best batsman of the side (Vijay Merchant would later say that Palwankar Vithal was his childhood batting hero), was denied the captaincy in favour of DB Deodhar. All the Palwankar brothers announced that they were withdrawing from the squad. The impasse came to an end with Baloo re-instated and made the vice-captain as well.

The 1920/21 season would turn out to be Baloo's final, with the Hindoos sharing the title with the Parsees. In all, in 33 documented first-class games, Palwankar Baloo took 179 wickets at an incredible average of 15.21 with 17 five-wicket hauls. His actual haul must have been much higher. In his prime, many observers of the game in India – both Indians and Englishmen – considered Baloo as the best spin bowler in the world. Yet, Palwankar Baloo's story was much, much more than just sport. All through his life, he fought against the deep-rooted caste prejudices of contemporary Indian society and earned each and every plaudit that came his way in the hardest way possible. Long before Gandhiji's equality movement for the lower castes, Palwankar Baloo had achieved the near impossible – becoming an icon for the nationalist movement despite coming from the lowest of castes. It was the culmination of his long and arduous journey when his brother Vithal was appointed the Hindoos' captain a few years after Baloo's retirement – and, after a particularly famous victory, was paraded around the ground on the shoulders of his upper caste team-mates.

In his later years, Baloo worked closely with BR Ambedkar for Dalit rights. When he died in 1955, his funeral was attended by people from both politics and cricket. One of his former teammates had said of him – "*No other cricketer had to fight so hard against the difficulties and dangers inflicted by both man and nature.*" Although never officially confirmed, the character of the low caste player Kachra in the 2001 cricket film 'Lagaan' bore similarities to the life and struggles of Palwankar Baloo. Baloo's career overlapped largely with that of Ranjitsinhji, or Ranji as he was better known. While Ranji's name is immortalized in India's premier domestic tournament, Palwankar Baloo's tale is largely forgotten and consigned to the footnotes of Indian cricketing history. There is an iconic image of the 1911 tour to England – it is a squad photo with the King of Patiala seated regally at the centre. But the most striking feature is at the bottom of the image - where Baloo and his brother find place on the ground. Baloo began his journey in the shadows and fought against the shadow all his life. In death, too, his story unfortunately receded into the shadows.

Chapter II

THE DEADLY DUO

They say fast bowlers prefer to hunt in pairs. Ever since Sid Barnes and Frank Foster combined to take 34 and 32 wickets respectively in leading England to a 4-1 Ashes win over Australia in 1911-12, fast bowling pairs have been an integral feature of cricket. In fact, the West Indians of the 70s decided four was double the fun, tormenting batsmen world over for the next decade and a half.

Till the emergence of Kapil Dev in the late 70s, India had been known as a spin haven for cricket watchers. From Vinoo Mankad to Subhash Gupte and then on to the fabled spin quartet - Prasanna, Chandrasekhar, Venkataraghavan and Bedi - Indian spinners have been one of the biggest identities of Indian cricket. Yet, right at the dawn of international cricket in India, it was a fast bowling pair which was the strongest suit of Indian cricket. These two men, as different as chalk and cheese in appearance and character, impressed one and all during their short sojourn in international cricket. Ladha Amar Singh and Mohammad Nissar were born a few months apart of each other. Nissar, born on August 1, 1910 in Hoshiarpur, was the son of a tribal Pashtun chief. Amar Singh, born four months later in Rajkot, grew up in a cricketing environment. His elder brother Ladha Ramji was a well-known fast bowler. Tall and powerfully built, Nissar made his first-class debut in 1928-29, primarily turning out for Muslims in the Lahore tournament. Back then, Indian cricket was dominated by cricket loving royals – most of whom weren't very good with the bat or ball, but their closeness to the English rulers and financial patronage ensured their stronghold on the game. One of the aforementioned worthies was Maharajkumar of Vizianagaram. It was on a tour with Vizianagaram XI to Ceylon in 1930-31 that Amar Singh first captured attention. A year later, Nissar and Amar Singh came face to face for the first time. Singh was representing Vizianagaram XI while Nissar turned out for Prince of Limbdi XI.

The iconic duos' real coming together would follow shortly after. Turning out for the Maharajah of Patiala's XI, Nissar and Amar Singh shared the new ball for the first time. Nissar made an immediate impact, picking up seven wickets in the game. Although Amar Singh only got one, the start of a brief but stellar partnership had just begun. By the summer of 1932, India had been admitted entry into the Imperial Cricket Council (ICC's predecessor) and was set to play its first test match at Lords. Amar Singh and Nissar were automatic choices in the touring party. The two men were very different in their styles. Tall and heftily built, Mohammed Nissar appeared like a heavyweight boxer. Yet, with the red cherry in hand, he transformed into a speed demon. Contemporary batsmen from India, England and Australia who faced him agreed in unison that he was the fastest they had ever come across. Yet, Nissar was not just a very fast bowler. He could swing and cut the ball sharply at that pace, which made him deadly. Amar Singh, on the other hand, appeared more like a man of academia, and came to be known for his accuracy, stamina and ability to extract prodigious movement off the pitch. Although standing at 6'2", he, unlike Nissar, was of sparing build. Bowling off five or six steps, Amar Singh's deadly off cutters and leg cutters left the best batsmen confounded. Probably because of their contrasting styles, the two men complemented each other well and proved to be a handful for their opponents.

India's inaugural test match was a matter of much fanfare. Yet, it wasn't expected that the visitors would offer much contest in front of England's finest cricketers. The script of the opening day would soon put everyone in shock. Opening the batting for England were Herbert Sutcliffe and Percy Holmes, then considered as the best opening pair in the world. The pair were ten days removed from putting on a world record 555 run opening stand for Yorkshire. Within half an hour though, the England innings was in complete disarray. In an extraordinary display of hostile fast bowling, Nissar had uprooted the stumps of both Holmes and Sutcliffe before they even reached double figures. Amar Singh would get into the act later, dismissing a well-set Wally Hammond, to leave the hosts at an uncomfortable 101/4. It was thanks to captain Douglas Jardine's brilliant counterattack and absence of good back up to Nissar and Singh that England were spared the blushes. Nissar returned to clean up the tail and finish with 93/5 – the first Indian to pick five wickets on test debut and would remain the only Indian fast bowler to do so till Mohammed Shami emulated him more than 80 years later. Amar Singh picked up two. Unfortunately, with a batting line up hardly adept to playing in English conditions, India ended up losing the match by 158 runs. In India's second innings, Amar Singh became the first India to score a test half century, even hitting one out of the park in a dashing knock of 51. Although India played only one test on the tour, Nissar and Singh proved their mettle in the tour games. Amar Singh was the highest wicket taker with 111 at 20.78, besides making 641 runs. Ill health meant Nissar missed several games – but still managed to pick up 71 at a measly 18.09 apiece. By the time the Indians were preparing to board the boat back to their country, the English media was hailing the duo as the best fast bowling pair in the world – even better than their own pairing of Larwood and Voce, who would vanquish Bradman's Australia in the infamous Bodyline series sometime later.

Two years later, an MCC team led by Jardine visited India to play three test matches. By this time, Nissar and Amar Singh were in their absolute prime. In the very first test played in Bombay, Nissar returned figures of 5/90. In the second test at Calcutta, it was Amar Singh's turn to impress as he bowled 54.5 overs, taking 4/106. England lost 25 wickets in the two test matches and the pair accounted for 13 of them. Unfortunately, Nissar missed the final test due to illness but his partner more than stepped up. He bowled 67.4 overs in the match - with figures of 8/141. He also made 48 in the second innings. But his best efforts could not save his team as inept batting led India down again and Jardine's men won 2-0. Amar Singh's 7/86 in the first innings at Madras would remain the best bowling figures by an Indian fast bowler for more than half a century. The only loss suffered by Jardine's team on that tour came courtesy Nissar – his haul of 9/117 at Benares secured a narrow victory for Vizzy (Vizianagaram) XI. The following year, an Australian services side led by Jack Ryder toured India. This series, which had four unofficial test matches, saw Nissar at his devastating best. He took 32 wickets in the four games at an incredible average of 12.46, with four five-wicket hauls and two four-wicket hauls in eight innings. Amar Singh only played two of the games due to poor health but still managed ten wickets at 19.80.

By the time India returned to England in the summer of 1936, Amar Singh was already a popular player in the Lancashire league. He was only released by his club for a few of India's games. Sadly, Nissar's health had deteriorated considerably. But he still was India's best bowler, picking 66 wickets at an average of 25. In the seven games that he played, Singh averaged 33 with the bat and 23 with the ball. In the first test at Lord's, Singh and Nissar tore through the English line up, shooting them out for a paltry 134. Singh took 6/35 while Nissar had 3/36. Unfortunately, poor batting once again let the team down as India lost by nine wickets. In the second test, they were less effective but still took two wickets each. Amar Singh also hit a crucial unbeaten 48 and helped save the game after India were trailing by 268 runs. The third test at The Oval was to be the swansong from test cricket for India's deadly pace duo. And certainly, they went out on a proverbial high. Nissar took 5/120 in England's first innings. It included a breath-taking spell of four wickets in five overs as England collapsed from 422/3 to 468/8. Amar Singh was less successful with the ball but still took two wickets in the first innings. Following on in the second innings, Amar Singh came into bat at four and hit a counter-attacking 44 in just 30 minutes with seven hits to the fence. Once again, the two men left English shores having left an indelible impact.

Their last taste of international cricket came in the winter of 1937-38 when Lord Tennyson's MCC side - boasting of several big names like Bill Edrich, Joe Hardstaff,

Alf Grover and Norman Yardley among others - visited India to play five unofficial test matches. Amar Singh was at his brilliant best in this series. He took 36 wickets in the five games at an average of below 17. His best showing was 11/96 in the fourth match at Madras. Nissar was quite on the wane by this time but still managed 12 wickets in the three matches he played. The upcoming World War meant suspension of all international cricket. The two men however kept impressing in domestic cricket. Nissar helped Southern Punjab to the Ranji Trophy final in 1938-39 taking 17 wickets at 11.94, including a masterly 6/17 in the semi-final that saw Sind shot out for a paltry 23. Although he kept playing sporadically for Southern Punjab for a few more years, Nissar was never the force that he once was and was ignored when test cricket resumed in 1946. At the time of partition, he opted to move to Pakistan, where he became the chief of his clan. He breathed his last at the age of 52 in Lahore. Amar Singh had a brief but very productive Ranji trophy career. Turning out for Western India and Nawanagar, he took 105 wickets at the incredible average of 15.56. In 1940, a long bath in a swimming pool resulted in Amar Singh coming down with fever, which ultimately progressed to typhoid. He passed away on May 21st of that year, still short of his 30th birthday.

It is said that the praise one earns from one's peers is unparalleled. Amar Singh and Nissar certainly weren't lacking in this respect. Wally Hammond, one of England's greatest batsmen in the pre-WWII years, had this to say about Amar Singh – "(He) *comes off the pitch like the crack of doom.*" In 1970, Sir Len Hutton, the legendary England opener, was chatting with reporters in Madras. In reply to a query on contemporary fast bowlers, Hutton replied,

"There is no better bowler in the world today than Amar Singh." It had been 34 years since Hutton had last faced Singh, playing for Yorkshire against the touring Indians. Colonel CK Nayudu, who captained India in 1932 and 1934, held the opinion that in his opening spell, Nissar was even quicker than the fearsome Harold Larwood. Despite his 6'1" frame and fiery pace, Nissar had a gentle demeanour. In a 1939 Pentangular game between Muslims and Hindus, his captain Wazir Ali instructed Nissar to bowl bouncers at Vinoo Mankad, who was struggling with a hurt thigh. The large-hearted fast bowler though turned down his captain's request, refusing to take unfair advantage. It was probably due to his gentlemanly nature that Harold Larwood, after the 1932 test match, had expressed a desire to take Amar Singh with him to Australia but not Nissar. Maybe Larwood felt that the big man would not agree to his ungentlemanly tactics.

In 1937-38, while playing in the Lancashire league, Amar Singh was picked in an England XI to face the visiting Australians. He dismissed six Aussies – including Stan McCabe (hailed by Sir Don Bradman as one of the greatest batsmen of his time), Lindsay Hasset and Bill Brown (both future captains and member of Bradman's 'Invincible' side). Bradman skipped the game, denying Amar Singh a crack at the legend. In his foreword to Russi Modi's book on Indian cricket, Sir Don wrote, "*Two other great Indians never to visit Australia were Nissar and Amar Singh, but my test selector colleague and test captain Jack Ryder played against them in India. Many nights I sat with him into the small hours (of the morning), being enthralled listening to his stories of their skill.*"

In the six test matches they played together (all against England), Nissar and Amar Singh accounted for close to two-thirds of the wickets taken by the entire team. On the tour of 1936, the pair combined to take 79 % of all English wickets taken. This despite the fact that they were almost always on the defensive thanks to India's weak batting, lacked good support bowlers and suffered from dropped catches galore. Amar Singh's untimely death and Nissar moving away from cricket and then emigrating to Pakistan meant that the great skills, experience and wisdom of this celebrated pair were not imparted to a younger generation. India would have to wait for very long to find another paceman who could take on the world.

Chapter III

SAVE US, COLONEL

The term 'colonel', while a part of military lexicon, is also quite congruous with Indian cricket. CK Nayudu, the man who led India in its first test match, was as an honorary colonel in the army of the royal state of Holkar. Decades later, Dilip Vengsarkar, one of the stars of Indian batting in the '80s was also popularly known by the same nickname. Yet, in between the two, there was a real colonel (well, almost) who made crucial contributions to Indian cricket, but whose story is largely forgotten today.

Lieutenant Colonel Hemchandra Ramchandra Adhikari, popularly known as 'Hemu', was a key cog of the Indian cricket team for more than three decades. Having made his first-class debut before the war at the age of 17, his army duties prohibited Adhikari from featuring in much cricket during the war years. However, when India embarked on its first tour post war (also its first as an independent nation) to Sir Don Bradman's Australia, Adhikari, by then almost 29, was named in the touring party. Australia proved to be a difficult proposition though and Adhikari struggled like most Indian batsmen with scores of 8, 13, 0, 0*, 26 and 1 in the first three test matches. However, it was in the fourth test that he first gave glimpses of his abilities. Having been again dismissed for single figures in the first innings, he came in to bat with the score reading 133/5 and made his maiden test half-century and, with Vijay Hazare, put on an excellent partnership of 132. Although not enough to avert an innings defeat, Hazare and Adhikari's fightback earned the Indians some respectability. In the last test, Australia racked up 575 before declaring and India lost their first wicket with only three runs on the board. Adhikari walked in at number three and scored a patient 38, helping Vinoo Mankad put on 124 for the second wicket. In the second innings, as India were shot out for a paltry 67, Adhikari top scored with 17. Despite a 0-4 loss, Adhikari's determined batting in the last two test matches impressed everyone.

Over the next decade he would remain an important player for the team, although his official duties meant he only appeared in 21 out of 47 tests India played during his career. He was a man who more often than not rose to the challenge when the going got tough. His only test hundred came in the first test against West Indies at Delhi in 1948. The tourists piled up 631, and when Adhikari walked out, India had lost half their side and were still almost 400 runs short of the opposition score. He stitched together partnerships of 60, 79, 31, 19 and 16 for the last five wickets, ending up unbeaten on 114. Although not enough to avert the follow on, it ensured India batted long enough and consumed a significant chunk of time. Even in the second innings, he remained not out on for 29 and, along with Chandu Sarwate, had an unbroken partnership of 58, ensuring India saved the game. Delhi would remain a fond hunting ground for Adhikari throughout his career. In 1952, in the first ever test between India and Pakistan, Adhikari hit an unbeaten 81 and added 109 for the last wicket with off spinner Ghulam Ahmed – an Indian record that stood for 52 years. It would take India's total close to 400 and help inflict a crushing innings defeat on Pakistan.

In fact, the highest point of Adhikari's career also came at the Feroze Shah Kotla in Delhi in February 1959. West Indies, under Gerry Alexander's captaincy, were touring India and had already won three of the first four tests. Adhikari was nearing his 40th birthday and had been busy with his official duties - thus not playing in the series till then. India had three captains in the first four tests and were in need of a fourth. Running out of options, the hapless selectors approached the colonel to take up leader's role in the last test match. Busy with official duties and slightly miffed at not being considered earlier in the series, Adhikari was inclined to refuse the offer. He was finally prodded on to take it up on the insistence of his wife and his commanding officer. He left his post at Dharamshala and travelled to Delhi to take charge. The Caribbean pacers - Wes Hall and Roy Gilchrist - had terrorized the Indian batting all through the series. Although a fantastic player of spin, Adhikari was never too comfortable against high quality pace bowling. Nonetheless, his courage and determination were on display yet again, as he scored 63 and 40 in two innings and with his gentle leg spinners, picked up the only three wickets of his test career – including those of Conrad Hunte and Basil Butcher. Adhikari put on century stands in both innings with young Chandu Borde and ensured that India avoided another defeat. That match though was to be his final appearance for India. By the next summer, he was already past 40 and wasn't too keen on touring England. He wasn't invited either and walked off into the sunset with a last hoorah.

Yet, Lt. Col. Adhikari's association with Indian cricket was far from over. In 1967, Adhikari toured England as the manager of the Indian schools' side. The tour was a great success with the team winning nine of 17 games and remaining unbeaten throughout. The squad included future India players Syed Kirmani and the Amarnath brothers, Mohinder and Surinder. One month before the start of the trip, Adhikari convened a training camp in Delhi. Apart from cricket coaching, the young boys were taught table manners and how to behave with elders. Adhikari even arranged for the team to interact with air force officers at the mess. This would prove to be of great help subsequently as the young boys met several dignitaries on tour, like the Duke of Norfolk, Lord Mountbatten and British Prime Minister Harold Wilson. For Adhikari, this was a dress rehearsal for tougher battles ahead.

Four years later, Adhikari was appointed as the manager for the 1971 tour of England. An exceptionally gifted cover point fielder in his time, it wouldn't have escaped his attention that India's fielding standards were abysmally poor. His first act as manager was to work on improving the same. He introduced strict fitness drills towards that end, drawing from his army experiences. He also brought in strict discipline, including night-time curfews. One colourful account of the tour goes how the flamboyant Farokh Engineer had gone out to party despite Adhikari's curfew and his hapless roommate had to line up some pillows covered by a blanket to make it appear that Engineer was sleeping, when the Colonel came checking on his usual beat! Adhikari kept a strict watch on when players returned from trips outside and hung out in the hotel bar to ensure that they didn't down a peg too many. Ajit Wadekar, the captain on the tour. would pay rich tribute to Adhikari many years later – "*Adhikari was different. Apart from ensuring everyone woke up on time, he also helped in terms of strategy. At nets, he left the batting and bowling but looked after the catching practice which was vital.*" The 1971 tour would prove to be a triumph as India won their first series in England. Adhikari's inputs and guidance was to play a key role in the development of a young yet talented group of players who would go onto serve Indian cricket with distinction for many years to come.

Unfortunately, his next assignment three years later was also a tour to England that saw India soundly defeated 0-3, including falling to their lowest ever test total of 42. Adhikari and Wadekar both faced much criticism and ridicule after the tour. A heartbroken Wadekar left the game altogether. But the colonel was made of sterner stuff. In 1975, he was appointed as the coach of the national side and it was in this role that he made probably his most important contribution in grooming a new generation of cricketers. Several future Indian players spent time at the Colonel's coaching camp in their early years. As a trainer also, discipline and hard work were Adhikari's main mantras. None of the players were allowed a drop of water before the scheduled break. But despite his strict disciplinarian approach, his 'boys' were all fond of the old man. Kiran More would later express his gratitude to Adhikari not just for the training but for also teaching him how to use the knife and fork at the dinner table. Mirza Rahmatullah Baig of Hyderabad, who served many years as assistant to Adhikari, would also go on to become an accomplished coach himself.

He spent his later years in Mumbai where, in 2003, Lt. Col. Hemu Adhikari, Indian cricket's first crisis man, world-class fielder and coach-cum-mentor breathed his last at the age of 84.

Chapter IV

CHILD PRODIGY TO MR. DEPENDABLE

In international cricket, the decade of the 80s could well be termed the decade of the all-rounders. Four gifted men battled in a race to prove who was the most gifted with both bat and ball. One of the four was off course Kapil Dev Nikhanj, India's all-rounder supreme, who led the country to its first ODI World Cup title. Such was the impact of Kapil on the game that more than 25 years after his retirement, Indian cricket fans still clamour for another one as good as him. Yet, Kapil Dev had a great lineage to follow. Right from its first step on a cricketing field, India was blessed with men who had great skill in both disciplines of the game. Col. CK Nayudu, India's first test captain, was a man with all-round versatility as was his main bowling weapon, Ladha Amar Singh. In the coming years, names like Lala Amarnath and Vinoo Mankad would join the ranks of great all-rounders from India. Even India's great batsmen of the post war years - like Vijay Hazare and Polly Umrigarh - often left their mark on the game with the ball as well. But probably the man who truly could truly be termed Kapil Dev's spiritual predecessor was Dattatreya Gajanan Phadkar.

Popularly known as Dattu, Phadkar was born on December 12, 1925 in Kolhapur in the Bombay Presidency of British India. He was in many ways a child prodigy. At the age of ten, while studying in Robert Money School of

Bombay, he hit 156 in an inter-school game. He also took all ten wickets in a Harris Shield game. On his collegiate cricket debut for Elphinstone College, he hit 274 – a record back in the day. He soon broke into the Bombay University cricket team and captured the attention of Prof. DB Deodhar and made his first-class debut for Maharashtra at the age of 17. Dattu Phadkar was a hard-hitting middle order batsman who could also bowl at a fair pace and possessed prodigious swing, both in and out. There is an interesting story behind his skill with swing. While playing for Sundar Cricket Club in Bombay, Phadkar had as his mentor a groundsman called Narayan. This man would stand as umpire when Phadkar was bowling in the nets and as he was in run up, would shout 'in' or 'out', making Phadkar adjust accordingly. Evidently, he learnt well.

His first national team call up came in the tour to Australia in 1947-48. Initially, Phadkar was supposed to be little more than a backup seam bowler, mainly to play the practice matches and provide rest to the main bowlers. But the last moment pull-out of Fazal Mahmood (who would soon emigrate to Pakistan) opened the gates for Phadkar. He didn't get to play the series opener, in which India slumped to an innings defeat. A couple of changes were made to the team after this disastrous outing, and Phadkar got to make his debut in place of Ranga Sohoni in the second test at SCG, which was incidentally his birthday. The pace attack of Lindwall, Miller and Bill Johnston made life very difficult for the Indian batsmen. Persistent rains had left the wicket sticky and tricky to handle. Phadkar walked in at number eight with the score on 95. Along with G Kishenchand, he produced an audacious counterattack that added 70 for the seventh wicket. Phadkar would be the last man out for a courageous 51 as India folded for 188. It was the first test half century by an Indian in Australia and would remain the highest score by an Indian debutant in tests in Australia till it was bettered by Mayank Agarwal during the winter of 2018-19. Dattu though wasn't done yet. It was now the turn of the Aussies to face the vagaries of the wicket. Opening the bowling with his captain Lala Amarnath, Phadkar took 3/14 off ten overs. Along with Vijay Hazare's four wicket haul, Phadkar's brilliant spell saw Bradman's Australia bundled out for just 107. Rain though washed most of the game thereafter, ruling out a result and the possibility of an epic upset win for India.

From thereon, the rest of the tour went downhill for India with three consecutive big defeats. Phadkar though would go from strength to strength. In the third test, Phadkar dismissed Sir Don, although only after the latter had racked up 132 on the board. Now promoted to number six, Phadkar repaid the team's trust by making another half century and remained not out on 55. Dattu Phadkar's highest moment of the tour came in the fourth test at Adelaide. Australia had amassed 674, with Bradman hitting 201. India had lost half their side for 133 when Phadkar joined Vijay Hazare. The two would produce a dazzling display of batting in a partnership of 188, which so frustrated the opposition that Sir Don himself came to bowl an over to try and separate the pair. Phadkar's handling of pace from Lindwall, Miller and Ernie Toshack as well as Ian Johnson's off-breaks earned him the admiration of Australian spectators as well as the hard-nosed local press. Even after Hazare was out for 116, Phadkar carried on and was the ninth out for 123 – his maiden test hundred. Unfortunately, he couldn't avert the follow-on and in the second innings, Lindwall rocked India with seven wickets, sinking the visitors to a huge loss. The tour ended with another innings defeat at the MCG, but Phadkar kept his head high, hitting an unbeaten 56 in the first innings. He ended the series with 314 runs at an average of 52.33, the highest among the Indians. His eight wickets came at 31.75 apiece. On a tour in which India got hammered 0-4, Dattu Phadkar, the debutant, returned with his stature significantly enhanced.

Shortly after, Phadkar was selected to travel to England to take coaching in the renowned Alf Gover School. Unfortunately, tinkering with his natural game did more harm than good. When he returned a few months later, he had lost much of his natural pace. Despite this, in India's next series at home versus the West Indies, Phadkar remained in good form, hitting 41 in the opener at Delhi and then 74 in Bombay. He also took 4/74 in the Bombay test. In the fourth test at Madras, he produced one of his best all-round performances, taking 7/159 and scoring 48. Sadly, with the rest of the Indian bowling proving quite toothless, the visitors were able to score nearly 600 and inflict an innings defeat. In the last test, again at Bombay, India were set a staggering 361 to win to level the series. Hazare and Russi Modi batted brilliantly and an unlikely win beckoned. Phadkar, coming down the order, hit an unbeaten 37 and nearly took India home, falling agonisingly short by just six runs when the game was closed. He also had a good match with the ball, taking six wickets. His strong all-round showing coupled with debonair good looks and impressive physique made him Indian cricket's first pin-up idol.

During India's next home series versus England, in the winter of 1951/52, Phadkar produced a memorable all-round display at the Eden Gardens, scoring his second test hundred and taking four wickets in the match. When India registered their first ever test win at Madras in the same series, Dattu Phadkar played his part, scoring an important 61 and picking up two wickets. On India's ill-fated tour in the summer of 1952, when Fred Trueman and Alec Bedser picked apart the Indian batting, Phadkar also struggled and had his first 'poor' series with both bat and ball. Overall, he scored just 122 runs in four tests and took only three wickets at 70 apiece. His only high point of the tour came in the second innings at Leeds. With India infamously collapsing to 0-4 and then 26/5, Phadkar hit an aggressive 64 and, along with his captain Hazare, put on a century stand, which saved India from ignominy although not defeat. Back home, in the winter of 1952-53 against Pakistan, he found more joy, producing his series best showing in the last test in Calcutta, picking up five wickets and scoring a half-century. During this test, as he was about to go out to bat, he received a telegram saying his newborn child had passed away. It is said that Phadkar read the message, folded the telegram, kept it in his shirt pocket and went out to bat. After he was dismissed, he returned to the dressing room, took out the message, read it again and broke down in tears.

He would also tour West Indies later that year and Pakistan two years later, besides playing at home against New Zealand in 1955-56, Australia in 1956-57 and West Indies in 1958-59. Unfortunately, Dattu Phadkar's career never hit the highs that his early showing promised. His last test half century came at Port of Spain in 1953 while his third and last 5five-wicket haul also came on the same tour. His career - like several of his contemporaries like Vinoo Mankad, Ghulam Ahmed and Col. Hemu Adhikari - ended during the disastrous home series with West Indies in 1958-59. His last bow, incidentally, came at the ground where he had had some of his best performances, the Eden Gardens. This time though, the script unfolded differently. Rohan Kanhai hit a big double hundred and Phadkar gave away 173 runs without taking a wicket as India slumped to a humiliating innings loss. In his last international innings, he came out to bat withthis team again in trouble - like so many times in his career having lost five for 44. Phadkar helped Vijay Manjrekar add 71, scoring 35 against a bowling attack of Hall, Gilchrist, Sobers and Ramadhin. With that, Dattatreya Phadkar exited the international stage.

Over a period of 12 years, Dattu Phadkar played a total of 31 tests, besides appearing in 13 unofficial test matches, mostly against touring Commonwealth teams. While 1229 runs at 32.34 and 62 wickets at 36.85 do not make for a very impressive reading, it is worth remembering that Phadkar played in an era where a newly independent nation was struggling to find its footing on the world stage, with the same holding true for its cricket team. During a most difficult decade for the Indian team, Dattu Phadkar was one of the key players who opened the bowling, batted at number six or seven and fielded reliably in the slips. His long-time new ball partner and later Indian captain Gulab Ramchand had said this about him, "*(Phadkar) had the ability to be the difference between victory and defeat for any team. He had the courage to take risks and had immense confidence in his own abilities. This became clear from his body language.*"

Post his playing days, he remained associated with cricket and served as national selector in the 1970s – a successful decade for Indian cricket with historic overseas series wins in West Indies and England. Sadly though, at the age of just 59, Dattu Phadkar got stricken with a brain ailment and passed away in Madras on March 17, 1985. In his last days, he had no attention or assistance from the game he served with so much passion for so many years. In 2012, BCCI honoured seven former cricketers with amounts of Rs. 15 lakhs each for their contribution to the game. One of them was Dattatreya Gajanan Phadkar. The recognition came 27 years too late for Dattu Phadkar.

Chapter V

THE BABY-FACED ASSASSIN

In the years before WWII, Indian cricket was blessed with some exceptionally gifted men. Col CK Nayudu's all-round skills, Amar Singh and Nissar's fast bowling, Vijay Merchant's copybook batting, Mushtaq Ali's buccaneer hitting style – there was plenty to cheer for. However, one position was never settled and that was the man behind the stumps. From the first game at Lord's in 1932 to the post war 1946 tour of England, several men were tried in that position, but none were able to offer the required solidity and stability. In the seven tests played pre-War, four different men donned the gloves - with the 1936 series in England witnessing a different keeper in each of the three tests. When international cricket resumed post the war in 1946, Datta Hindlekar, first choice keeper from 1936, was already 37. He did keep in all the three test matches, but advancing age and back problems meant that it was the end of his international career.

Post-independence, India's first international assignment was as formidable as it gets – a tour down under to face Sir Don Bradman's Invincibles. The Indian squad had several well-known names with Lala Amarnath as the captain, Vijay Hazare as his deputy and all-rounder Vinoo Mankad. Included in the tour party was a 21-year-old lad from Calcutta. His name was Probir Sen. Born in Comilla of East Bengal (present-day Bangladesh) on May 31, 1926, Probir grew up in Calcutta and studied in the prestigious

La Martiniere School for Boys. He made his first-class debut for Bengal at the age of just 17. Because of his boyish looks, he appeared even younger than his age. It led to him earning the nickname *Khokon*, a common Bengali term for a young boy. In fact, through the rest of his career, it was this nickname, or rather a misappropriation of it in the form of *Khokhan* that was to be his call sign. Although short and stocky in build, Khokon Sen's ability behind the stumps quickly earned the attention of the followers of the game. When the touring party for Australia was selected, Jenny Irani and Khokon Sen were picked as the keepers. Irani was the announced as first choice while Sen was expected to give Irani a break in some of the tour matches. In India's second tour game versus South Australia, the touring party came across Sir Donald Bradman. Wasting no time, Bradman smashed a hundred in the very first innings. Although Sen failed with the bat in the match, in the second innings, he stumped Bradman off the bowling of Vinoo Mankad for only 12. It is said that his prompt glove work impressed the great man who, before walking off, gave the youngster a word of praise.

The test matches started off disastrously with an innings defeat in the opener, as India were shot out for 58 and 98 – Ernie Toshack taking 11/31. Toshack's absence and persistent rain helped the tourists escape with a draw in the second. In the meanwhile, Sen had put in strong displays in the tour games in which he had got a chance. He finally got to make his test debut for the third test match at Melbourne in place of Jenny Irani. Although India lost by a big margin again, Sen impressed - giving away just four byes in 159.1 eight-ball overs across two innings, besides one catch and one stumping. Sen earned further praise in the fourth test where Australia batted for 151.3 overs (eight balls per over) and scored 674 with the Don hitting 201. Sen conceded just eight byes in nearly two days of keeping. Despite India slipping to another innings defeat, the Australian public and press were extremely impressed with Sen's tidiness, agility and flexibility behind the wickets. The last test match at MCG saw another big innings defeat for India but Sen's performance hit its pinnacle. He kept wickets for 128 overs (equivalent to 170.4 overs today) and conceded only four byes besides taking four catches.

By the time the Indians sailed back, Khokon Sen's stock had risen considerably. Bert Oldfield, Australia's pre-war keeping great, was so impressed with the young Bengali that he gifted Sen a pair of his old gloves. Sen also got tips from Australian keeper Don Tallon, which, he later admitted, benefitted him greatly. Legend goes that on a few occasions, Sen had also ended up being pretty chirpy at Sir Don when the latter came out to bat, trying to unsettle him. The great man was reportedly taken aback, not being used to someone having a go at him like that! Khokon Sen may well have been the first Indian to resort to the art of sledging – long before the practice became common in the game.

By the time West Indies visited in the winter of 1948-49, Khokon Sen was firmly entrenched as the Indian team's first choice keeper and played all the five tests. By the start of the next decade though, competition for the place behind the stumps had heated up. Nana Joshi of Maharashtra and Madhav Mantri of Bombay were both pushing Sen hard for a place in the team. Both men were also considered better with the bat. Sen had a very average return with the bat in test cricket, with a highest score of 22 in eight tests till then.

By the time the next series came around with England in 1951/52, Sen was ignored in favour of Joshi and Mantri respectively in the first two tests. He was recalled for the third test at his home ground Eden Gardens. He took three catches and made two stumpings but was surprisingly left out of the next game at Kanpur in favour of Joshi. India slumped to a defeat in that game and Khokon Sen was recalled for the last test in Madras. This match would go on to become a historical occasion for Indian cricket as India upset its former colonial master and won its first game of test cricket. Sen also had a fine showing making four stumpings in the first innings – all off the bowling of Mankad. He made one more stumping in the second innings, again off Mankad. It made Sen only the second keeper since Oldfield to make four stumpings in an innings and the first to make five in a match. A historic occasion for Indian cricket also became a personal milestone for Sen.

Khokon Sen was part of the touring party to England in the summer of '52 as India was walloped 0-3 by a rampant English attack led by the debuting 'Fiery' Fred Trueman. Despite his heroics in India's last test match at Madras, Sen was again dropped from the XI with the batting skills of Mantri preferred. However, Sen was brought back for the third test at Old Trafford. He impressed straightaway, taking three catches and conceding only two byes in 144 overs and kept his place for the last test match. Just like in Australia, Sen's brilliant keeping earned him kudos in England as well. Sen retained his place for the first test of the next series at home against Pakistan. It was in this game that he scored his test highest of 25, as India won its second test match. However, a keeping merry-go-round saw Nana Joshi, Rajindernath and Ebrahim Maka tried out for the next three games. Sen was brought back for the last test of the series. Again, his comeback was at his home ground of Eden Gardens.

This was to be Khokon Sen's last appearance for India. In 14 test matches, Sen took 20 catches and made 11 stumpings. He played for Bengal till 1957-58 and thereafter continued his association with the game in the form of club cricket in Calcutta. It was after playing a club game in 1970 that Sen suffered a massive heart attack and passed away. He was only 43. A limited overs tournament was started in his memory by the Cricket Association of Bengal and is still going strong. The P Sen Memorial Trophy has, over the years, witnessed some big names of Indian cricket participating, from Kapil Dev and Sachin Tendulkar to MS Dhoni and Virat Kohli. Yet, it will be rare to find a spectator watching a game of the tournament in today's times that knows about the man who earned plaudits from Sir Don Bradman for his skills behind the stumps.

Chapter VI

THE ENIGMA CALLED ROY

So many times, a sportsperson's life gets defined by one moment of inspiration or glory. The great English goalkeeper Gordon Banks is a classic example of this. Despite a most illustrious career that included being a vital cog in England's World Cup triumph in 1966, the biggest talking point of Banks' career remained the unbelievable save he brought off - denying none other than Pele at the 1970 World Cup. Such was to be the case of Pankaj Roy – the man who gave an identity to Bengal cricket long before the arrival of Sourav Ganguly.

Roy was born on May 31, 1928 in Calcutta. He hailed from an illustrious background – his family was closely related to the *zamindars* of Bhagyakul in East Bengal (modern Bangladesh). So wealthy was the family that it is said that once they lend money even to a bank! Growing up in pre-independence Calcutta, it was football and not cricket which was Pankaj Roy's first love. He played football professionally for the Sporting Union Club of Calcutta. One of the *Maidan* myths go as to how he once scored a 40-yard screamer while turning out for Sporting. In 1947, he even netted the winner for IFA XI against a touring Burma side. However, a serious knee injury sustained while playing football cut short his football career and he increasingly became a lover of the game of willows. In the domestic season of 1946-47, Roy made his first-class debut for Bengal and hit an unbeaten 112 on his first bow against

United Provinces. In the coming seasons, Roy remained a prolific scorer for Bengal.

His breakthrough moment came in the 1951-52 season. He hit an excellent 163 against Holkar – then one of the strongest teams in domestic cricket - and then a gritty 89 versus a touring MCC side. At that time, Vijay Merchant, the great opening batsman of India, was nearing the end of his illustrious career and selectors were on the lookout for a replacement. Roy was the beneficiary - getting his first national call up to play against the touring English side. His debut match at Delhi was the farewell for the great Merchant. The great man made the occasion memorable with a majestic 150+ but Roy, opening the innings with him, scored only 12. However, in his very second test innings, Roy hit 140, thus justifying the faith shown in him by the selectors. In the last test at Madras, Roy hit his second century as India won its first ever test match. He ended the series with 387 at 55.3 and was hailed as the perfect successor for Merchant.

Yet, after the fairy tale beginning, came the inevitable heartbreak. India toured England in the summer of 1952. The cold, damp English weather coupled with seaming pitches posed a challenge for the Indian batting. And England had a debutant fast bowler by the name of Frederick Trueman. Roy started with 19 and zero in the opener at Leeds. His duck in the second innings was one of four by the Indian top order as the score-line read an unbelievable 0-4. The rest of the series went downhill from there on for Pankaj Roy. He had four zeros in his next five innings, ending the series with 54 runs from seven innings with five ducks. On four occasions, he was dismissed by Trueman. Overall, on that tour, Roy scored nine ducks in 38 outings. The weakness in English conditions would come back to haunt Pankaj Roy later in his career as well.

Back home, he played against Pakistan but with his confidence badly damaged, he struggled for runs. At a time when selections were often whimsical, Roy was lucky to retain his place in the touring party to West Indies in the summer of 1953. It was a difficult tour to start with. The Indian contingent flew to London and from there, travelled in a small cargo vessel to Barbados. It was a boat that was used to transport bananas from Barbados to UK. After a long journey over rough seas, the players arrived exhausted in the Caribbean. Many were sick for several days after arrival. The two test matches at Port of Spain were played on a jute matting wicket – something the Indians had no experience of. But with the ball not swinging like it did in England, the Indian batting had some reprieve. Roy had a modest showing in the first three tests and missed the fourth. Making a comeback in the final match in Kingston, Jamaica, Roy finally rediscovered his form. He hit an accomplished 85 in the first innings. The hosts reply was emphatic, with Frank Worrell hitting 237 and the other two Ws - Weekes and Walcott - both scoring centuries. Trailing by 264, Roy played a marathon essay of 150, adding 237 for the second wicket with Vijay Manjrekar, which went a long way in saving the game for India.

Next season, at home, Roy played one of his finest knocks, scoring 141 against a touring Commonwealth side whose attack included Peter Loader of England – a man renowned for his nasty bouncer, and Sam Loxton of Australia, a member of Bradman's 1948 Invincible side who had the tendency to target the upper body of the batsman. The year 1955 started with a tour of Pakistan where Roy hit a couple of 50s. In November that year, New Zealand came to India. This series would produce the moment that would overshadow almost the entirety of Pankaj Roy's career. He started the series poorly with yet another duck, even as three of his teammates reached three figures, and was left out for the next two games. However, in his comeback at his home ground Eden Gardens, Roy hit his fourth test hundred and incidentally his only one not opening the batting. The pitches were benign, and the visiting attack held little threat. India had amassed scores of 498/4, 421/8, 531/7, 132 and 438/7 in the first four matches.

By the team the two teams arrived in Madras for the series finale, the New Zealand bowlers were tired and probably had one eye on the return flight home. On a fine January day, India won the toss and out went to open Mankad and Roy. They kept batting, batting and batting. Roy reached his hundred first, Mankad followed soon after, and India ended day one at 234/0. The next day the script unfolded similarly. The partnership extended past four sessions when it is said that they received a message from the dressing room asking to up the scoring rate. In trying to do so, Roy was finally dismissed for 173, his highest test score – the partnership of 413 setting a new world record for the first wicket that stood for 52 years.

For the remainder of his career and life, this opening partnership sadly became nearly the only defining moment of Roy's career. And yet the story doesn't end there. In the 1958-59 home series against West Indies, Roy played probably his most courageous innings. The hosts had one of the strongest sides in world cricket at that point of time.

Not since the disastrous England tour of 1952 had India faced pace - the likes of which Wes Hall and Roy Gilchrist possessed. Backing them up was the wily spinner Alf Valentine and Sir Gary Sobers. India looked set for defeat in the series opener in Bombay. But a defiant rear-guard by Pankaj Roy, where he batted for 444 minutes in scoring 90, saved the match for India. He scored a couple of fighting 40s in the Kanpur test and missed out on a deserving half-century by a single run in Madras – both matches seeing India crashing to big defeats. In the final test in Delhi, Roy scored another patient half-century in the second innings as India avoided defeat. In a series lost 0-3 and marred by the controversy over captaincy changes, Pankaj Roy was one of the few Indian batsmen who fared with respectability. His handling of Hall and Gilchrist also laid to rest for some time the question marks over his ability to play quality pace bowling. Sadly though, his old nemesis was waiting in the wings.

India toured England in the summer of 1959. It was a new-looking Indian side as several of the old hands including the legendary all-rounder Vinoo Mankad had called it a day after the Caribbean series. Roy was one of the more experienced players in the side and it was expected that he would right the wrongs of his horrendous tour seven summers ago. The start was certainly encouraging. He began the tour with 95 against Worcestershire and followed it up with 155 in a match versus Oxford University. In the series opener, even as India slumped to an innings defeat, Roy was the only batsman to come out with honours, scoring 54 and 49 and handling Trueman and his new mate Brian Statham with confidence. Sadly, in his next eight test innings on the tour, Roy scored just 76 with two ducks and a highest of 21. His old weakness against the moving ball resurfaced with Truman and Statham dismissing him five out of the eight times. His only high point was getting to lead the side in the second test with regular captain Datta Gaekwad indisposed – becoming the first Bengali to lead India in a test match.

Back home against Richie Benaud's Australians, Roy started off well, hitting 99 in Delhi and 57 in Bombay. However, he failed miserably in the innings defeat in Madras scoring only one and three and would play just two more tests before being permanently discarded by the selectors. Pankaj Roy though remained a formidable force in domestic cricket and had one last high against an old foe. In the Ranji trophy quarter final of the 1962-63 season, Bengal came up against Hyderabad. The Indian board had decided to field four West Indian fast bowlers that season for the four strongest sides from each zone - to help Indian batsmen improve their play against high class fast bowling. Bengal had in their ranks Lester King, while turning out for Hyderabad was Roy Gilchrist, the man sent back home from the Caribbean tour of 1958-59 for intentionally trying to injure Indian batsmen. In a battle between the two 'Roys', it was the bespectacled Bengali *bhodrolok* who came out on top.

Despite Gilchrist taking a five-wicket haul, Pankaj Roy batted with great skill and scored 112. Thanks to Gilchrist's counterpart King also reciprocating with a fiver of his own, Bengal managed a slim lead of 25. In the second innings, Gilchrist was on fire, again taking three of the first five wickets and threatening to run through the Bengal line up. It is said that Pankaj Roy hadn't slept at all the night before, nursing a sick relative. The captain now stepped up again. In association with his nephew Ambar, Pankaj Roy countered everything Gilchrist threw at him and scored his second hundred of the match and took the game away from Hyderabad. Inspired by their leader, the Bengal bowlers ripped through Hyderabad's batting - who crashed to just 121 all out. In the semi-final defeat to Bombay, Roy again excelled, scoring 81 and 37. Despite this, Roy never got a recall to the national side. He ended his Bengal career in 1967/68.

Roy was a multi-faceted sportsman. Besides football, he was also very good in table tennis and badminton and was an avid swimmer and shooter. Not many know that Pankaj Roy was on the selection committee that chose the squad for the 1983 World Cup. In his later years, he also served as the Sheriff of Calcutta. His nephew Ambar and son Pranab, both represented India in test cricket. On February 4, 2001, Pankaj Roy breathed his last.

Pankaj Roy played 43 test matches and was the most prolific Indian opener before the arrival of Sunil Gavaskar on the scene. He scored 2442 runs with five centuries. His batting average of 32.56 could have been better but for his 14 dismissals without scoring – half of them coming on two tours to England. Pankaj Roy played at a time when cricket was still little more than a pastime. There was hardly any preparation or coaching before foreign tours and it showed in the poor showing of India on the two tours to England. Also, India didn't have any bowler in that period who even came close to the pace or quality of Trueman, Statham or Hall and thus never had the chance to get practice in handling pace. Just like Gavaskar, Roy also never had a regular partner and opened the batting with 12 different partners in his 79 innings. Still, Pankaj Roy deserves to be remembered for lot more than just his record setting opening partnership.

Chapter VII

THE LEGEND OF RAM

It was sometime in the 1990s. A cricket award function was taking place in Mumbai. An elderly gentleman was going around collecting autographs for his niece. Suddenly, something interesting happened. A contemporary cricketer who was being thronged by a mob for autographs walked up to this elderly man and said, "Sir, my name is Mark Taylor. I am here to receive an award on behalf of my team. Can I request to shake the hands of the man who led India to their first win over us?"

The man in question here was Gulabrai Sipahimalani 'Ram' Ramchand – one of the most colourful characters to have ever graced Indian cricket. The partition of 1947 saw India lose quite a few cricketers, who chose to settle down in Pakistan. Most prominent of these was Fazal Mahmood – who went to become a tour de force for Pakistan cricket with the ball. Ramchand's case was the reverse. He was born in Karachi on July 26, 1927 and made his first-class debut for Sind in the 1945-46 season. After partition though, his family shifted to Bombay and Ramchand completed his graduation from Bombay University. His debut for Bombay in the Ranji Trophy came in 1948-49. He played a key role in Bombay becoming champions that season – hitting 55* and 80* in the final batting at number ten. It was the start of a love affair that would continue for long. Ramchand would play in five more Ranji finals for Bombay and he scored a hundred in each of them. His batting average for Bombay in the Ranji Trophy was an astronomical 75.55!

In 1951, Ramchand travelled to the UK to play league cricket in England. He had a good time out there with his gentle medium pace being effective in the English conditions. It was probably this that led to his first national call up for the tour to England in the summer of 1952. His selection led to much surprise in cricketing circles as he was not expected to be named in the touring party. The tour was a complete disaster for India, as they lost three of the four tests. Ramchand didn't fare much better personally either. His career got off to the worst possible start – scoring a duck in both innings of his debut at Leeds. He ended the series with 68 runs in seven innings and just four wickets in four test matches at 76 apiece. However, an incident during the second test at Lord's would be one of the first entries in the myth of Ramchand. Freddy Trueman - who debuted in that series and was the chief tormentor of Indian batsmen - was on fire, having already scalped six in the match. Coming in at number nine, Ramchand challenged Trueman to bowl as fast as he could and ended up hitting several boundaries in scoring 42 at a run a minute, though Trueman did have the final laugh.

Despite the poor start to his career, Ramchand retained his place when Pakistan toured India for their first ever series in 1952/53 and had a good showing at Calcutta with a match haul of 5/63. It ensured he was selected for the tour to West Indies later that year. This time, Ramchand gave a much better account of himself. His best batting performances came in the two test matches played on jute matting wickets at Port of Spain. Despite not having any experience of playing on matting, Ramchand, now promoted to number three, scored an accomplished 61 in the very first game of the series and followed it up with 62 in the third test match. He handled the spin of Ramadhin and Valentine as well as the hostile pace of Frank King with confidence. During this series, what also caught the eye was Ramchand's brilliant and fearless close-in fielding. In an era where protective gear was unheard of, this would be a feature of Ramchand throughout his career. Touring the country of his birth in 1955, Ramchand had a fine series, taking ten wickets at 19.9 besides averaging close to 30 with the bat. His best effort with the bat came in the second test at Bahawalpur - where Ramchand hit a dogged 53 and rescued India from a precarious 107/7. Playing the final game of the series in Karachi, the city of his birth, Ramchand produced his career best bowling performance taking 6/49 in 28 overs.

In the winter of 1955, New Zealand toured India. Like most Indian batsmen, Ramchand had a good series with 72 in Delhi and his first test hundred at Calcutta. But Ramchand's finest moment for India came the next year against Australia at Bombay. India had suffered an innings defeat in the previous game at Madras. Richie Benaud and Ray Lindwall had massacred the Indian batting and not many betted against a repeat in Bombay. Ramchand though had other ideas. India had slipped to 140/6 at one stage, but he batted like a man possessed - hitting 109 and taking the score to a respectable 251. Besides Lindwall and Benaud, the attack also had Allan Davidson and Patrick Crawford, who is said to have bowled the fastest spell ever seen at the Brabourne Stadium. But nothing had an impact on Ramchand as his rasping square-cuts and full-blooded hooks left the audience and opposition both in awe.

Ramchand and India's next assignment was the ill-fated home series versus West Indies. The series opener was at his favourite Brabourne Stadium and once again Ramchand was in fine fettle. Opening the bowling, he sent back both the West Indian openers cheaply, including Conrah Hunte for a duck. Coming into bat at 40/4 with a debutant Wes Hall on fire, Ramchand made 48 with six hits to the fence and helped his captain Umrigarh add 80. In the second innings, Ramchand played his part in a famous Indian rear-guard, scoring an unbeaten 67 and helping save the game. Unfortunately, he scored just 36 runs in his next four innings and was dropped for the last match and was also ignored for the tour to England that followed. But the tale of Ram was not over yet. In the winter of 1959, Australia visited India for five test matches. Richie Benaud, now among the premier all-rounders in the game, was the captain. It was a very strong side with names like Neil Harvey, Norman O'Neill, Ken McKay, Alan Davidson, Ian Meckiff, Wally Grout and Lindsay Kline besides the captain himself. India had lost 0-5 on their last series away to England. They had had seven different captains in their last ten test matches. It was predicted to be a sweep for Australia. Indian selectors decided to recall Ramchand and entrust him with the captaincy. While Ramchand had a very ordinary series as a player (only 111 runs in nine innings and just one wicket in five tests), his impact on the team was exemplary. Inspired by their captain, the underdog Indian team punched well above their weight and shocked the mighty Australians at Kanpur, registering their first ever win in a rivalry that, over the years, would become one of the most keenly contested ones of the game. Acknowledging Ramchand's brilliant captaincy in the match, Benaud exchanged colours with his counterpart after the game as a mark of respect. Although India lost the series 1-2, it was still a remarkable performance for a team that was expected to be slaughtered.

Chandu Borde, one of the key players in that series versus Australia had this to say about his captain, "*...He was very tolerant; even if a player was not scoring runs, he never used to get irritated and used to take things in the stride. He led us brilliantly to victory against (Richie) Benaud's Australians in the Kanpur test, always giving us the self-belief that we could beat them.*" Nari Contractor, another of his team members also lavished praise on Ramchand saying, "*As a captain he was never arrogant and always had that we-can-do-it kind of attitude and that was on display when he was the skipper when we won against the Australians at Kanpur.*"

The series against Australia though was Ramchand's final bow, as he retired from tests. However, he kept piling the runs for Bombay, hitting hundreds in four consecutive Ranji finals from 1959-60 to 1962-63. Even after bidding goodbye to the game, Ramchand remained involved in it. He served as the manager of the national side in the opening World Cup in 1975 and intermittently through the '80s. His last stint as national team managed was against the West Indies in 1987-88. He was known for his ready wit, at times acerbic, and was always open to a chat about the game he loved so much. During a test match in Mumbai in 2002, he was given a harrowing time by the Mumbai Cricket Association for parking his car which lead him to remark – "We are being treated like s**t"." He also had a very successful professional career, working 26 years for Air India. Sadly, the end of this gallant man was quite tragic. His health deteriorated in his later years and in

September 2003, he suffered multiple cardiac arrests and was admitted to a private hospital. His family appealed to the Indian cricket board for financial assistance for his treatment upon which Rs. 2 lakhs was granted by the board. Unfortunately, unlike hostile fast bowling, this was an opponent Ramchand couldn't conquer. On September 8, 2003, Indian cricket's Ram bade his final farewell to the mortal world.

Tall and well-built with a finely trimmed moustache, suave and always nattily dressed, articulate and well-spoken, Gulabrai Ramchand was one of the most attractive personalities of his time in Indian cricket. Everyone who had ever come across him had an interesting story to tell about the man. Somehow, his best moments on a cricketing field for India came when least expected and when the chips were generally down, he would show the fortitude in his character. Always a hard fighter on the field, he was extremely jovial off it, making him a very popular member of any dressing room. He had an eternal love for the game, so much so that on the day before his death, he sent his wife outside to find out the score of an ongoing test match. Indian cricket was much enriched by the presence and association of Gulabrai Ramchand.

Chapter VIII

BAPU BADA KHADOOS

Bombay, or Mumbai as it is known now, has historically been the greatest supply centre of Indian cricket. Cricket in a structured formal way in India began here in the nineteenth century in the form of the annual rivalry between Europeans and Parsees, which later extended to become the Bombay Presidency Pentangular. The Ranji Trophy side has been the epitome of absolute dominance, winning the coveted title a record 41 times. The grounds and parks all over the city witness numerous battles between bat and ball every day. It is these grounds and parks that have been and continue to be the germination ground for many of Indian cricket's finest talent. One very common term associated with Bombay/Mumbai cricket is the vernacular word *khadoos*. While the literal meaning of the word is stubborn or snobbish, in cricket lingo, *khadoos* describes a perfect Mumbai cricketer – one in possession of exceptional grit and who is immovable even in the most trying circumstances.

While so many can make a rightful claim and association with this word, the man who epitomised *khadoos* in the best possible manner was Rameshchandra Gangaram Nadkarni, the 'Bapu' of Indian cricket. Born on April 4, 1933 in Nasik of erstwhile Bombay Presidency, Nadkarni first caught the attention of the fraternity while turning out for the Inter-University cricket championship for Pune University in the 1950-51 season. In the next season, he got his break in first class cricket for Maharashtra. Nadkarni remained a consistent performer for the next few seasons, but it was difficult for him to break into the Indian side with the great Vinoo Mankad in his prime. He finally got a chance when Mankad decided to take a break against New Zealand in the Delhi test of 1955-56. Nadkarni impressed with the bat, scoring an unbeaten 68 but failed to shine with the ball, sending down 57 wicketless overs. It wouldn't have mattered as Mankad was back for the next game and Nadkarni was dropped. It would be nearly three years before he again played a test match. And it would be the toughest test possible. The opposition was Gerry Alexander's mighty Caribbean side. Nadkarni though gave a good account of himself – sending down 36.1 overs and picking up two for 69. Although he didn't get any more chances in that series, with Mankad retiring, the door was now open. Nadkarni was selected for the ill-fated tour of England in 1959. He played in four of the five matches and performed creditably – with nine wickets at 34. He also got a number of starts with the bat but failed to capitalize on them. In the last innings of the tour at The Oval, batting at number four, Bapu Nadkarni hit 76 out of a team total of 194, in an innings where six players failed to reach double digits and the next best was 25. Although he was yet to shift to Bombay, this was the first demonstration of the *khadoos* trait that would come to define Bapu Nadkarni in the years to come.

For the next five-six years, Nadkarni became a near regular fixture in the side. The word 'miserly' became synonymous with Bapu. With his tight line and length and unerring control, it was said that batsmen had only two scoring options – nil and negligible. At the start of the 1960-

61 season, Nadkarni left Maharashtra and joined Bombay. The intensely competitive cricketing environment of Bombay added more steel to Nadkarni's already unyielding character. He was known to place a coin on the pitch, draw a circle with a chalk around it and then keep bowling for hours at a stretch - trying to land the ball on that small circle every time. In his first full series at home versus Richie Benaud's Australia in 1959-60, Nadkarni produced till then his best bowling performance – taking 6/105 at Bombay. The next season against Pakistan, Nadkarni produced several miserly spells. The peak of them was his effort at Delhi – he had figures of 1/24 off 34 overs and 4/43 off 52.4 overs – a total of 67 runs given away in 86.4 overs bowled with 62 maidens. At Kanpur and Bombay, he had respective match figures of 39-28-29-0 and 52.4-24-84-4.

At Bridgetown in 1962 - against a batting line up containing Sobers, Hunte, Kanhai, Solomon and Worrel - Nadkarni sent down 67 overs for only 92 runs, dismissing Sobers and Solomon. In the next test at Port of Spain, Nadkarni bowled 63 overs across two innings, conceding just 103 runs. It is said that so frustrated was Sobers with Bapu's tight line and length bowling that he called him the worst bowler in the world! The West Indies tour also saw another gutsy innings from Nadkarni at Kingston, Jamaica. India had slipped to 89/4 before gutsy half centuries from Borde and Umrigarh revived the innings somewhat. Nadkarni came at number eight and soon after Borde fell for 93. With wicket keeper Engineer, Nadkarni put on a partnership of 96 and added 38 valuable runs even after Engineer was dismissed. He remained unbeaten on 78. Promoted to number four in the second essay, Nadkarni once again batted courageously and scored 35, the second highest score of the innings. Sadly, the team could have done with a little more of Bapu's *khadoosi* as they hurtled to an innings defeat.

India next played a test match almost two years later, when Mike Smith's English side came visiting at the start of 1964. The first test match in Madras would go down in folklore for Nadkarni. On a benign track, India amassed 457 before declaring. England were in a mess. Four players were down with a severe stomach bug. In fact, Mickey Stewart and Jim Parks were so ill that they were confined to their hotel rooms with a car waiting in case they needed to be transferred quickly to the ground. England had already lost a couple of wickets the evening before. Two of their dourest batsmen, Brian Bolus and the great Ken Barrington, were out there. Looking at the precarious situation, the pair decided to play for time and started a blockathon. Nadkarni was at his usual parsimonious best. Or worst. He kept bowling, bowling and bowling - 131 deliveries of his left arm spin were faced without a single run being scored. That's 21.5 overs. On the 132nd delivery, a mis-field finally saw a run scored off Bapu. He had innings figures of 0/5 from 32 overs, 27 of them maidens.

This incredibly dour spell of bowling put Nadkarni into cricketing mythology. It was his version of Michelangelo's David or da Vinci's Mona Lisa. Or in a cricketing context, it was his 99.94 or 19 wicket match haul. Till date, this feat of Bapu Nadkarni remains unmatched. Only South African Hugh Tayfield has bowled more consecutive dot balls (137) in test cricket, but that was spread over two innings. Such was the impact of this spell, that years later, while paying tribute to Nadkarni, Sachin Tendulkar recalled that he grew up in Mumbai hearing of this incredible feat. In the same series, Nadkarni bowled 14 overs for three runs at Bombay, 42 overs for 38 runs at Calcutta but was rather 'expensive' in the last two tests – giving away 218 runs off 114 overs – although he did take five wickets in those two games. The last match in Kanpur saw his best batting effort in test cricket as he hit his maiden test hundred, an unbeaten 122 to follow a 52 not out in the first innings.

The range of Bapu Nadkarni's all-round abilities was visible in the next test match India played. In the winter of 1964, Bobby Simpson's Australia toured India. In the series opener at Madras, Nadkarni took 5/31 and 6/91, his best test match bowling figures, but sadly couldn't prevent an Indian defeat. In the next game at Bombay, Nadkarni took 6/98 including 4/33 off 20 overs in the second innings and set up a thrilling two wicket victory for India. He played the next series against New Zealand at home but was gradually on the wane. The long number of overs bowled over the years had started to take their toll. Around this time, a new generation of spinners started emerging in India. When West Indies toured in the winter of 1966, Nadkarni played the opening test at Bombay but went wicketless and scored nine and zero. He was replaced in the next match at Calcutta by a new left arm spinner from Punjab called Bishen Bedi and was also ignored for the tour to England in summer of 1967. But the old tiger had one last roar left. When India toured down under in the winter of 1967, Nadkarni was recalled. He didn't have a great time in Australia but had better luck on the New Zealand leg of the tour. In the first test at Dunedin, Nadkarni showed signs of his old best self with a match haul of 3/44 from 48.3 overs as India won their first ever test match overseas.

In the test match at Wellington, Nadkarni took 1/22 off 17 in the first innings and followed it up with 6/43 off 30 miserly overs in the second. In tandem with Erapally Prasanna, Nadkarni destroyed the New Zealand batting, setting up another Indian win. In the event, more glory awaited as India won the last test to secure their first ever series win overseas. Nadkarni did his bit, bowling 16 tight overs for just 17 runs. But with Prasanna and Bedi sharing 12 wickets, it was clear that the future was in good hands. On return from that triumphant tour, Bapu Nadkarni announced his retirement from all cricket.

But Bapu Nadkarni's influence on Indian cricket extended beyond the ground as well. He was always like a mentor and big brother to junior members of the team. One famous incident was recollected by Chandu Borde – a key figure of the Indian team in the 1960s. India were playing a test in Calcutta early in Borde's international career. A telegram had come from Borde's family in Pune informing that his relative Dayanand, who was also Borde's cricketing mentor, had passed away in an accident. India were set to go out to bat when the telegram had arrived. Nadkarni took the message and didn't say anything to Borde but kept the telegram below the latter's pillow. When Borde later saw the message and came to know what had transpired, he was upset and confronted Nadkarni. Bapu calmly replied that it was a big occasion for Borde and he didn't want him distracted. Although angry at first, once he had cooled down, Borde realized that Nadkarni had done it for his own benefit only.

Having moved to Bombay in 1960, Nadkarni played a key role in mentoring a new generation of Bombay cricketers. Among them was an opening bat whom he met when the latter was just 17. His name: Sunil Manohar Gavaskar. Having served the role of assistant manager on several tours in the 1970s and early 80s, Nadkarni remained a key mentor figure for Gavaskar. Talking about him, Gavaskar had said, "*He was very encouraging. His favourite term from where we all learnt was* 'chhodo mat *(hang in there)*'. *He was gritty despite playing in the days when gloves and thigh pads were not very good, not much protective equipment as you would get hit, but still hang in there as he believed in* chhodo mat. *You are playing for India. That thing we learnt from him.*" Gavaskar further credited Nadkarni for the strategic inputs he gave the team. In fact, a classic demonstration of Nadkarni's famed *khadoosi* or 'never give up' spirit was on display on the Australia tour of 1981. Sandeep Patil had been hit on the head by Len Pascoe and didn't want to go out to bat in the second innings. Gavaskar was the captain but, in his own words, it was Bapu Nadkarni, the assistant tour manager who convinced Patil to bat again. Although Patil got out cheaply, that confidence instilled in him by Nadkarni paid dividends in the next match, when Patil smashed Australia's feared pace attack all over Adelaide Oval in scoring a majestic 174.

Bapu Saheb, as he was affectionately called by juniors in his advanced years was also a helpful man in life. Indian fast bowler Karsan Ghavri was his junior at ACC Ltd. In the late 1970s, Ghavri got an offer to play in the Lancashire league. When he was unsure about whether to take it up or not, Ghavri approached Bapu. The latter, having himself played in the Lancashire leagues, convinced his junior to take up the offer. When Ghavri was short of money for the airfare to London, Bapu pulled some strings through his cricketing friends at Air India and secured a discounted ticket for Ghavri. On January 17th of this year, the journey of the Bapu of Indian cricket drew to a close at the ripe old age of 86. Signing off a heartfelt tribute, Sunil Gavaskar said, "*Indian cricket has lost a real champion.*" Chandu Borde summed up Nadkarni's cricket the best – "*He was a very useful man to the team, a great contributor, stayed long at the wicket, was a good close-in fielder, and was a very accurate left-arm spinner.*" Journalist Rajdeep Sardesai whose father Dilip played for several years alongside Nadkarni for Bombay as well as India paid him the perfect compliment – "*...Khadoos is the best way to describe Bapu Nadkarni.*" Because in his entire life, Bapu Nadkarni never gave up an inch no matter how tough the situation was.

Chapter IX

COURAGE IN A 'TINY' PACKAGE

Ever since the resumption of cricket post World War II, the absence of a truly quick new ball bowler was keenly felt in Indian cricket. For a while, Dattu Phadkar showed promise but his pace was lost dramatically after undergoing coaching at the Alf Gover School. Throughout the 1950s, Indian batsmen suffered at the hands of express quick bowlers, never more than on the disastrous English tours of 1952 and '59, when eight out of nine tests were lost and reputations damaged at the hands of Fred Trueman in particular. Sadly, Indian captains of the time never had a similar weapon in their ranks to effect some payback. The days of Amar Singh and Nissar were now long, distant memories to be occasionally reminisced with fondness.

It was in this setting that burst onto to the scene a young man by the name of Ramakant Bhikaji Desai. As far as appearances go, there couldn't have been a greater let down. Standing at 5'4" and slightly built, Ramakant Desai was as far from the fearsome image of true fast bowlers as can be thought of. Yet, the man who got nicknamed 'Tiny' because of his appearance more than made up for his little frame with his heart that was among the biggest of all. Born on June 20, 1939 in the breeding ground of Indian cricket - Bombay - Desai honed his skills on the famed grounds of the city and made his debut in first-class cricket in the 1958-59 season. In the winter of that year, West Indies toured India. Their first practice game was in Bombay against a Cricket Club of India (CCI) side. Turning out for CCI was a young bowler who was yet to play a first-class game. In no time, Tiny Desai shocked everyone present at the ground. The stumps of the great Rohan Kanhai were shattered, and then he induced Basil Butcher to nick one behind without scoring. He ended with five wickets and in the second innings, scalped another three - getting Conrad Hunte, Butcher again and the captain Gerry Alexander.

As India got slaughtered in match after match, Desai followed up on that impressive debut with good showings in the Ranji Trophy. He took six in an innings against Maharashtra and then a match haul of 11 vs Saurashtra. By the fourth test match of the series, India had lost both men who had mainly shared the new ball duties for nearly a decade. After a pasting in Calcutta, Dattu Phadkar had been dropped while another defeat later, the same fate awaited GS Ramchand. Ramakant Desai, not yet 20, was suddenly called up to take over as the opening bowler for the last test match at Delhi.

In an indication of the paucity of quick bowling resources for the side, sharing the red cherry with the Desai was veteran opening bat Pankaj Roy. The flat track of Kotla was a graveyard for quick bowlers. But even as the rest of the Indian bowling got taken to the cleaners once again, Tiny Desai made a strong first impression. He put down 49 overs and took four wickets, including the prized scalps of Sobers and Kanhai, as well as dismissing centurions John Holt and Collie Smith. The pace he generated, even from the lifeless Kotla track, made everyone take notice. And in a surprise and first for the visitors, an Indian bowler troubled them occasionally with awkward bouncers, something not associated with Indian bowling for a very long time.

The strong first impression as well as a splendid debut Ranji season (50 wickets - a record that stood till 1972-73) meant that Tiny Desai would be a certainty for the upcoming tour of England. With Mankad, Phadkar, Adhikari, Ghulam Ahmed and Ramchand missing, it was a new look Indian side, especially on the bowling side. After just one season of first-class cricket and one test match, Desai suddenly found himself pitchforked into being one of the main bowling hopes for India. He didn't take too long to make an impact. After a quiet first test, Tiny Desai showed his class in the second game at Lords. England had slipped to 79/5 with Desai taking four of the wickets, including Colin Cowdrey. Unfortunately, bowling all out in a fiery burst took its toll on his spry frame and he struggled thereafter, and England recovered. Desai would later return to dismiss England's top scorer Ken Barrington and register his first five-wicket haul in test cricket. However, he failed to make much impact after this. England had a very strong middle order and Desai's inexperience was repeatedly shown up. He ended the five-test series with 12 wickets at an average of 50+ as India suffered their first ever whitewash.

Back home, he produced better performances against Richie Benaud's Australian side, taking 4/93 in Madras and following it up with 4/111 at Calcutta. He had the best series of his career next against the visiting Pakistan side. Desai played in all five tests and took 21 wickets. Most significantly, he repeatedly troubled the great Hanif Mohammed, who at times appeared all at sea against Desai's pace and bounce. Desai got Hanif four out of eight times and the great man was dismissed in the series, including in both innings at Delhi and for a duck at Bombay. So much so, by the end of the series, the Indian players started joking that the great Hanif had become Tiny Desai's *bakra* (goat in Hindi). Till the end of his playing career, Hanif Mohammed claimed that Desai threw the ball whenever he bowled a bouncer, such was his discomfort. The Delhi test would remain the best performance of Desai's career as he took four wickets in each innings ending with a match haul of 8/190. Although not known for much batting skills, Tiny Desai played a record-setting knock in the Bombay test against Pakistan. He walked out to bat at number ten with India still trailing by 50 runs. He batted for nearly three and a half hours and scored 85, his only test half century and the highest test match score by an Indian at number ten. Along with wicket keeper Nana Joshi, Desai added 149 for the ninth wicket, another Indian record. Both remain intact even today.

The next series against England at home was a disappointment. The pitches were mostly low and slow and hardly helped. Desai managed only six wickets in the four games that he played. But he did make an important contribution to the win at Calcutta, dismissing the great Ken Barrington for just three and helping derail the English chase. The ill-fated tour of West Indies followed. It was expected that Desai would have a good time on the hard and bouncy West Indian wickets. However, the Caribbean batting proved too strong as Desai managed just three wickets in the first three tests, all of which India lost, and was dropped for the last two. The West Indies tour would have a long-standing effect on Indian cricket and one that unfortunately wouldn't benefit Tiny Desai. After captain Nari Contractor had his skull fractured in a tour game by Charlie Griffith, the 21-year-old Nawab of Pataudi (Junior) took over as captain. Pataudi felt that

India had little chance of troubling batsmen from England, Australia or West Indies with quick bowlers. Instead, the best option of attack lay in going with spin. India never had a dearth of quality spinners and as the likes of Mankad and Gupte exited the scene, another new and exciting batch of spinners was waiting in the ranks. As a result, by the time India played a test match again in two years' time, the role of the new ball was further diminished in the Indian side. This was a fundamental shift in thinking and, with the emergence of the famed spin quartet, the fast bowler would be nearly redundant in Indian cricket for more than a decade and a half till the emergence of a certain Kapil Dev.

Despite all this, Tiny Desai gamely soldiered on. He took 4/62 against England at the Eden Gardens in 1964. The winter of that year saw tours of India by the Tasman nations of Australia and New Zealand. Desai was ignored for the Australia leg but was recalled for the tests against New Zealand and had a great series. He had a match haul of five wickets at Calcutta and at Madras, produced his best-ever innings figures of 6/56. Despite this, Desai once again found himself out of the team in the next series versus West Indies at home and was also ignored for the tour of England that followed in the summer of 1967. He received one final recall for the tour down under in the winter of 1967. Sadly, by this time, even Tiny Desai's big heart had taken a pounding by the repeated rejections. His slight body had also started showing the ill effects of the long spells bowled on lifeless pitches and he was hardly the force he once was. India played eight test matches on that trip, four each in Australia and New Zealand, but Desai got a chance in just two of them. He had a wicketless game in Melbourne but showed grit with the bat. In the second innings, Desai hung around for over an hour and helped his captain Pataudi add 54 crucial runs and coming close to averting an innings defeat. He next got a chance in the series opener at Dunedin against New Zealand. He opened the bowling and picked up two wickets as the hosts were all out for 350. When he walked out to bat at number ten, India were still trailing by 50 runs. Just two runs later, India lost their ninth and Desai was joined by last man BS Bedi.

Bruce Taylor and Dick Motz started bowling bouncers to intimidate the Indian tail-enders. One of these, a lifter from Motz, smashed into Desai's chin. As his jaw swelled up rapidly, it was evident that it had been fractured. Desai though refused to come off. He kept batting and helped add 57 vital runs, which turned a potential deficit into a slender lead of nine. In fact, Desai remained unconquered on 32, his second highest test score since that 85 many winters ago against Pakistan. The small lead proved of immense value psychologically as an inspired EAS Prasanna took six wickets and set up an Indian win – the first ever overseas after nearly 36 years of playing test cricket. Even with a broken jaw, Desai came out and put down seven overs although he couldn't get a wicket.

Sadly, this historic moment was the end of the journey for Tiny Desai. He wasn't picked for the remaining games and after returning home, announced his retirement from test cricket. Desai played one more season for Bombay - another successful one when Bombay became champions yet again. During the prize distribution, he shocked everyone by announcing his farewell from the game altogether at the age of 30. In his 11-year stint with the Bombay Ranji team, Desai took 239 wickets at an unbelievable average of 15.61

and never finished on the losing side. He left the game with a heavy heart and big question mark of what-could-have-been. He returned to cricket many decades later in 1996, chairing the national selection committee. However, it was not a happy experience. In trying to maintain objectivity in selection, he was criticized unfairly as ignoring the interests of his own state team. The constant arguments and bitterness proved too much for his health and just two years later, Desai resigned. A month after his resignation, he suffered a massive heart attack and passed away four days later. He was only 58.

Tiny Desai was a man who, in another place and another time, would have had much greater returns than 74 wickets in the 28 tests he played. Burdened with unresponsive pitches, with nearly zero support from the other end with the new ball and often bowling in disadvantageous match positions, he toiled on manfully every time without fail. The amount of respect he commanded was evident in the tributes paid to him by his contemporaries. Polly Umrigarh, who was Desai's captain for Bombay and snapped many catches at slip off his bowling, said, "*His pace was like fire and his bouncer was the most deceptive weapon.*" Elaborating on Desai's deadly bouncer, Nari Contractor, his national team captain said, "*Once, in the Delhi test, Desai hurled such a forceful bouncer that Hanif, the best player of fast bowling of the time, could only take it on his head.*" Ajit Wadekar, who replaced Desai as chief of selectors, paid him the ultimate compliment of character saying, "*For a small man, he had a lot of guts... during those days when tea and biscuits were our sole payment, he was one of the few (cricketers) who remained loyal to his club.*" Bapu Nadkarni, who was Desai's closest friend in the cricketing circle, hailed his pal saying,

"(Tiny) was the most genuine pace bowler we had, he could have been a true all-rounder if he had spared some time for his batting because he was already a superb fielder."

For close to a decade, despite several handicaps, Tiny Desai single-handedly shouldered the responsibility of the new ball for India, setting a shining example of not letting adverse situations get the better of oneself for generations to come.

Chapter X

A MAN OUT OF TIME

With the passage of time, our lives change, dramatically at times. As the pace of technology keeps increasing, change also increases in leaps and bounds until it becomes the only constant. Sports, like any other sphere of life, has also been part of said change. Cricket has been one game where such changes have been manifold, more so in recent years. From the approach to the game to playing rules and conditions, to protective gears and the commercial aspects of the game – there have been so many changes. It often spawns the debate whether players of the past would have been able to adjust to today's times or vice-versa. Would the batsmen of today, accustomed to the slam-bang of T20 cricket have been able to take on the fearsome fast bowlers of days of yore? How would the players of an era where 'safety first' was the default have adjusted to the demands of modern cricket – these are debates that are never likely to be settled satisfactorily.

Yet, when one sifts through the pages of history, once in while one come across characters who fitted less in their timelines and probably would have been better suited to the game's future. Like say Gilbert Jessop, the English player of the early years of the 20th century who is documented to have made hundreds at a scoring rate of 82.7 per hour including a 75-minute, 76 ball 100 against Australia at The Oval in 1902 - that remains the fastest test hundred by an Englishman even today. Or Jack Gregory the Australian all-rounder of the 1920s who in 1921 hit a test hundred in 70 minutes – nearly hundred years later no one has been able to better his time. In the 1960s, Indian cricket had seen a man who if he was born a few decades later may well have given MS Dhoni a run for his money.

Budhisagar Krishnappa Kunderam (in 1964 he legally changed his surname to Kunderan) was born on October 2, 1939 in a place called Mulki, near Mangalore in erstwhile Mysore state (present-day Karnataka) although he grew up in Bombay. Kunderan's father, a clerk for Voltas air-conditioners, was vehemently against his son getting into cricket. In fact, when Kunderan, who had no formal coaching in the game, got selected for his school team, his mother altered his father's clothes without his knowledge, to create cricket gear for her son. Having scored a double hundred in his first match, Kunderan's photo came out in the next day's newspaper. When his father read the sports page, it created an awkward moment for young Kunderan. When the West Indies were touring India in 1958-59, they were playing a practice game against Cricket Club of India. Kunderan was picked to play in that team without any prior first-class experience. Incidentally, this match also saw the first appearance of Kunderan's future India team-mate Ramakant Desai.

Kunderan made 21 and three in that game, but had a good game with the gloves, taking three catches and making two stumpings. Next season, against Richie Benaud's Australians, Kunderan was picked in the Board President's XI. He opened the batting, scoring 33 and sharing a 68-run stand with ML Jaisimha. His batting impressed the selectors, who picked him in the side for the third test in Bombay – he was yet to play a single Ranji Trophy game.

On the eve of his test debut, Kunderan faced a difficult problem. He lived then in a one room-kitchen house in a *chawl* near Bazar Gate area of Fort, sharing a room with six siblings. But as he was from Bombay, the rules of the day prevented him from getting hotel accommodation. Kunderan wanted a peaceful night's sleep before what was a big day for him. He left home with his pillow and bed sheet and slept the night in the grounds of the National Health Gym. He would do that for the entire duration of the test match. He must have slept peacefully as he had an excellent game, keeping wickets for 148 overs and giving away just four byes. He did it with gloves borrowed from Naren Tamhane, the man he had replaced. His bat, pads and cap were all borrowed. Although he didn't make much impact with the bat, scoring just 19 and two, in the second innings, he was hit wicket trying to pull Ian Meckiff, giving a sign of his approach to batting.

In the very next test at Madras, Kunderan was asked to open the batting. His partner, the veteran Pankaj Roy, departed for just a single. The bowling line-up had Davidson, Meckiff, Benaud and Lindsay Kline and Australia had made a respectable 342. Kunderan was unperturbed and went about playing his natural game, smashing 12 boundaries in an impetuous innings of 71. He was third out with the score at 111. After his dismissal, Benaud and Davidson ran through the innings, dismissing India for just 149. Having followed on, Kunderan was asked to bat at four, his fourth different batting position in four innings for India. He walked out at 11/2 and added 43 with his captain Nari Contractor before being bowled by Benaud for the second time in the match. His contribution in the partnership was 33, with six hits to the fence. Budhi Kunderan owed much to the chairman of selectors, Lala Amarnath, for giving him the early break into the national team. The Lala was still going strong in domestic cricket, leading Railways. Kunderan made his Ranji debut for Lala's team, having already played three tests for India, and celebrated the occasion by smashing 205 against J&K.

Unfortunately for Kunderan, right about the same time, appeared on the scene another man who was almost his clone. Farokh Engineer, a year senior to Kunderan, was also from Bombay. He was also a wicket keeper who liked to go hammer and tongs at the bowling from the word go. Over the next several years, Kunderan and Engineer would often be part of a game of musical chairs, with the latter usually getting a better share of the exchanges. For the 1962 disastrous tour of the West Indies, both men were picked with Engineer as number one. Kunderan got into the team for the last two games and had a poor outing, scoring just 11 runs from four innings.

The next series for India was nearly two years later at home. Kunderan was picked ahead of Engineer this time. In the first match at Madras, he made it a memorable occasion. Opening the batting on the first morning, Kunderan literally toyed with the hapless English bowling, hitting 31 boundaries en-route to his first test hundred and ending up with 192. This remained a record score by an Indian wicket keeper till it was bettered by MS Dhoni in 2013. He remained in good form throughout the series, making another hundred in the fourth test at Delhi and then 55 in the last one at Kanpur. Kunderan aggregated 525 in that series – the first time ever in test cricket that a wicket keeper had made more than 500 runs in a series.

Since Kunderan, only Dennis Lindsay and Andy Flower have achieved this feat.

Surprisingly, even after this stupendous showing, in the next series versus Australia at home, Kunderan found himself out of the team with Kunwar Indrajitsinhji entrusted with the big gloves. A series against New Zealand at home followed, with Engineer replacing Indrajitsinhji. Kunderan played the second test at Calcutta as a specialist batsman but didn't get a look-in in the remaining two games. Kunderan was recalled to the side when Sir Gary Sobers' West Indies team toured in the winter of 1966. In the opening game at Bombay, Kunderan walked out in the second innings at number nine with India tottering at 192/7. Over the next hour and a half, he made merry against a bowling line up of Wes Hall, Charlie Griffith, Sobers himself and Lance Gibbs, making 79 with 15 boundaries. In the next test at Calcutta, Kunderan was asked to open the batting and he made 39, which was the highest score by any Indian batsman in the game. For no clear reason, Kunderan was dropped for the last test at Madras in favour of Engineer. The latter opened the batting and made 109, 94 of them before lunch itself.

Up next was the tour to England. Engineer was announced as the first-choice stumper but Kunderan made the squad. Kunderan played in the tests at Lord's and Edgbaston as a specialist batsman. In the second innings at Lord's, with Sardesai injured, Kunderan opened the innings with Engineer and made 47 out of a team total of 100. The next game at Edgbaston is famous as the only test where India fielded all four of their famous spin quartet. On the evening before the match, Pataudi asked Kunderan what he bowled. A bewildered Kunderan's reply was, "*I don't know.*" He actually opened the bowling for India in the first innings, rolling his arm over for four overs - at Sir Geoffrey Boycott no less. In what would turn out to be his final test innings, Kunderan made a stubborn 33 as India slipped to a 0-3 defeat.

In the winter of that year, India was to embark on twin tours of Australia and New Zealand. Kunderan was omitted from the side altogether, with Kunwar Indrajitsinhji selected as back-up to Engineer. By this time, Kunderan's relations with the captain Pataudi had become quite strained and he decided he had had enough. During the last tour to England, he had met and fallen in love with a Scot lady called Linda, who was the receptionist at the team hotel in Leeds. He negotiated a contract with Scottish league side Drumpellier. The next year, he got married and emigrated to Glasgow. He made Drumpellier the Western Union champions in 1972, 74 and 75. He continued to play for Drumpellier till he was 56. In the early 1980s, he represented Scotland in the Benson & Hedges Cup in England. After moving to Scotland, Kunderan had made scathing criticism of Indian cricket officials. Of particular ire was the manager on his last tour, Keki Tarapore. Indian teams back then were very poorly treated on overseas tours. The board didn't provide any equipment or provide proper clothing for the cold climes of England. The daily allowances were so meagre that the players couldn't afford to eat at the hotel and had to look for options outside. The manager, according to Kunderan, made no effort to help the players and was busy being subservient to his English hosts.

Kunderan's frank, critical comments came at a cost. Although he rendered an unconditional apology a few years later, the Indian cricket board wasn't impressed. In 1980, during the jubilee test at Bombay, all ex-Indian cricketers were invited for the occasion. Kunderan remained a pariah though, something that hurt him very much. In his late years, he got afflicted with lung cancer and passed away on June 23, 2006. In 2018, Kunderan was honoured with a special achievement award by the BCCI, in a pardoning that came 12 years too late.

In the period from Kunderan's debut against Australia to his last game against England, India played 36 test matches. Budhi Kunderan appeared in only 18 of them, keeping wickets in 15. He opened the batting in 21 out of his 34 innings, where he averaged 41.2, eight higher than his career batting average of 32.7. Budhi Kunderan passed away just before T20 shook cricket like a storm. He left without witnessing the shortest format of the game, a format in which he might well have excelled himself.

Chapter XI

JIGAR-BAAZ LADKA

Melbourne Cricket Ground, the second last day of 1967. The famous setting for the Indian captain, Nawab of Pataudi (Jnr.) playing arguably the finest test innings of his career and the best ever by an Indian - an innings that was hailed by one observer as the best ever by a man batting with 'one eye and on one leg' – a reference to Pataudi's lack of sight in one eye and a damaged hamstring, which forced him to bat with a runner throughout. Yet, hidden in that fantastic batting display is another story of great courage - of a man who was fondly hailed by his friends as *jigar baaz*, a true brave-heart.

On that day, Pataudi had chosen to bat despite a green top and India had reached to 25/2 when a delivery from Graham McKenzie, the great Australian fast bowler, hit India's makeshift number four and send him back to the pavilion. Three more wickets went down at the same score and India were effectively 25/6. It was then that a hobbling Indian captain produced his brilliant counterattack. But despite his efforts, India slipped to 72/7 and with only bowlers Ramakant Desai and Chandrasekhar to come, it looked like India would be shot out for less than 100. It was then that India's left-handed number four strode out to resume his innings. He batted more than two hours and hung around as his captain kept hitting exhilarating strokes, stitching together a partnership of 74. He contributed 30, but his team-mates rated that innings as one of the bravest they had ever witnessed. He wasn't done yet. Even as India sunk to an innings defeat, he dismissed Bob Simpson, Bill Sheahan and Ian Chappell with the ball and returned to score 43 in the second innings and added 116 with Ajit Wadekar.

The name of this man was Rusi Framroze Surti, one of the many in the illustrious list of Parsee cricketers who played for India. The Parsee community can truly be regarded as the founding fathers of cricket in India. In 1886, a Parsee cricket team travelled to England to play a series of matches – the first overseas tour by an Indian cricket team. The first ever Indian test XI in 1932 had two Parsee members and after independence also, Parsees remained an integral part of Indian cricket. Rusi Surti was born in Surat on May 25, 1936. He was largely a contemporary of another well-known Parsee cricketer Farokh Engineer and the two were long term team-mates at Dadar Parsee Colony cricket club. Surti was a man of multiple skills – he was a handy left-handed batsman, bowled left arm quick with the new ball and turned to slow bowling when the ball turned old and, above all, was a truly electrifying fielder, specializing at cover or cover point. Together with his captain Pataudi, Surti formed a fielding pair in the cover region which would have given a run for money to the best fielders of modern times. But above all else, he was in possession of the finest attitude possible. Surti was always ready to do anything and perform any role that his team required. And most often, he did it with a smile on his face, which made him an endearing member of the dressing room.

Surti played his first-class cricket primarily for his home state Gujarat and turned out for Times of India in

Bombay office league cricket. Even before making his India debut, he was a popular overseas professional in the Lancashire league. He received his first national call up during the home series against Pakistan in 1960-61. It was a time of reboot in Indian cricket as several stalwarts of the post-independence years hung up their boots and many new names were tried out. Surti had an uneventful debut, failing to take a wicket and scoring only 11. He was promptly dropped and only got another chance in the fifth and last game of the series at Delhi. This time sent to bat at three. Surti grabbed the chance and scored a half-century but failed to take any wickets. He was ignored for the home series with England in the winter of 1961 but found himself on the touring party to the West Indies in the summer of '62. It was a traumatic tour for the Indians. Tormented by the Caribbean pacers, they lost all five tests and midway through the tour, their captain as well - thanks to a deadly bouncer from Charlie Griffith in a tour game. Surti got to play all five tests and despite being moved up and down the order constantly, left a good account of himself - scoring 246 runs. His best innings was in the series opener at Port of Spain. Surti walked in at 89/6 with the Indian top order blown away by Hall, Stayers and Watson and added 81 with Salim Durrani, with Surti's contribution being 57. He didn't score another half-century in the series but made useful contributions including a couple of 40s in the final test at Kingston, one of the fastest surfaces back then. India's seventh wicket added 82 and 83 in the match, with Surti featuring both times. The 82 partnership between Surti and Bapu Nadkarni came with India having slumped to 40/6 and Lester King breathing fire. This was also the only game where Surti had a good time with the ball, picking up three wickets.

Despite his courageous batting displays in the series, Surti found opportunities rare at home in the coming years. Of the next 15 tests played by India over the next five years, all at home, Surti featured in only six. At Madras in January 1967 against the visiting West Indies, Rusi Surti scored his first test half-century and took his first three-wicket haul in almost five years. His victims included Kanhai and Lloyd. With India touring England in the summer, the performance came at the right time. Coupled with the experience of playing in the Lancashire league, it helped him get a ticket on the touring party. It would turn out to be a forgettable tour. Struggling with fitness, Surti scored just 33 runs in four innings and took two wickets at 46. He was indeed lucky to be selected on the twin tours of Australia and New Zealand in the winter.

Having had lost all their three tests against England, India suffered another whitewash, losing all four games in Australia. But Rusi Surti, produced the best performances of his life. He scored 367 runs in the tests at an average of almost 46 and took 15 wickets at 35 apiece. It included twin fifties at Adelaide and again at Brisbane, besides the gutsy knocks he played at Melbourne. The Adelaide test was his best all-round showing ever as he also took five wickets and became the first Indian to score two half centuries and take five wickets in the same match. Among his five victims in the hosts' second innings were Bobby Simpson and Ian Chappell, whom he also dismissed at MCG. Brisbane was another brilliant all-round showing with half centuries and three wickets in each innings. After the battering in Australia, the New Zealand tour played out on a completely different script for India as they won the series 3-1, the first time India had won a test match as well as series away from home. Surti carried his good form across the Tasman, scoring 322 runs at 46 besides taking seven wickets at 37 each. His highest test score came in the last game in Auckland. He was dropped twice in the nervous nineties but unfortunately couldn't capitalize and was caught for 99. That was the closest he came to scoring a test hundred sadly.

After returning home, he played a couple of tests against New Zealand and one last appearance against Australia in the winter of 1969. Incidentally, Surti played his last test in the same ground he made his test debut – the Brabourne Stadium, Bombay. Shortly after, he emigrated to Australia and wasn't considered for national selection again. He settled down in Queensland and his exploits on the tour down under helped him secure a contract with the state cricket team. He turned out for Queensland for four seasons and played his last first-class game for them in 1973. Till date, Surti remains the only Indian player to have played in Australia's Sheffield Shield competition. And he did so with distinction – he took the first ever Shield hat-trick for Queensland at Perth in the 1969-70 season and hit a hundred at Brisbane a couple of years later. Queensland's long-time wicket keeper John Maclean paid rich compliments to their 'overseas' recruit – "*He was a very handy player. Just having someone who had played tests helped us, because at that stage none of us had done so.*"

After the West Indies tour of 1962, many compared Rusi Surti to the great Sir Garfield Sobers - primarily due to the similarity in their playing styles. In later years, it often became a term of ridicule for Surti as he was dubbed the 'poor man's Sobers'. Yet, in one aspect, Rusi Surti had a great similarity to Sobers. Both men brought great *joie di vivre* to the game of cricket throughout their career and played it always in the right spirit. Throughout his career, Rusi Surti was dropped several times but it never made him bitter or complaining. Whenever recalled, he appeared at his cheerful best and never was found not giving his 100 % whether batting, bowling or fielding. He was also one of the earliest Indian cricketers who loved to indulge in a bit of good spirited banter with the opposition, his favourite line being, "*Uska baap ka kya gaya?*" (How does it matter to him or his father?)

In January 2013, Surti was on his annual visit to catch up with relatives and friends in Mumbai. Sadly, he suffered a massive cardiac arrest and passed away in January 2012. His journey ending in the same city where he had made both his first bow and last goodbye from test cricket.

Chapter XII

THE PHOENIX OF INDIAN CRICKET

Eden Gardens. March 15, 2001. Sourav Ganguly's men scripted one of the most dramatic comebacks in the history of test cricket. Only for the third time in the 124-year journey of the game had a team come back from being made to follow-on and won the match. It was a first for Indian cricket and has remained an illustrious chapter of Indian cricket. Remarkably, nearly 36 years before that historic match, India had come within two wickets of achieving this same incredible feat at Brabourne Stadium, Bombay. Bruce Taylor, the legendary New Zealand all-rounder had wrecked the Indian line-up with a five-wicket haul as the hosts crashed to 88 all out conceding a lead of 209. In fact, day two of the match saw 16 wickets go down as India ended the day on 18/1 in their second innings, staring at possible defeat. It was then that India's 24-year-old opening batsman did what Laxman and Dravid would pull off decades later at the Eden Gardens. Having never scored a test hundred before, he batted throughout the entire third day, scoring 91 runs and taking India closer to safety. The next day was the last day (four-day tests were common back then) and a draw looked on the cards.

The next morning though, the Indian opener changed gears and batted more freely. When India declared for 463/5, he was unbeaten on 200, having batted in excess of nine hours and hit 25 boundaries. Indian spinners had the visitors on the mat but couldn't deliver the final knockout blow. New Zealand ended on 80/8 and the Indian team missed out on a slice of history. In the very next game in Delhi, this opener showed a totally different side to his game, hitting 106 in little over two hours with 18 hits to the fence. In the second innings, he scored a quick 28 not out as India chased down 73 in just 9.1 overs to seal victory. He ended the series with 360 runs from three matches at an average of 120. The man who almost helped India script history at Bombay in that series was Dilip Narayan Sardesai, the man who - much before Mohinder Amarnath and Sourav Ganguly - effected the most dramatic of comebacks in Indian cricket, rising like the proverbial phoenix.

Dilip Sardesai was born in Margao in the Portuguese-owned province of Goa on August 8, 1940. He remains till date the only Goa born cricketer to play for India. In 1957, his family moved to Bombay and that's when he first got the taste of top-notch cricket. While turning out for his college team (Wilson College), he was spotted by renowned coach 'Manya' Naik. He soon prospered into a solid, compact batsman and turned heads in the Rohington Baria inter-university shield, scoring 435 runs at an average of 87 in the 1959-60 season. In the winter of 1960, Pakistan was touring India. On the back of his strong showing for Bombay University, Sardesai was called to selection trials for a combined university team to play against Pakistan. The trials were attended by the venerable Lala Amarnath, the chairman of the selection committee. Impressed by Sardesai's accomplished batting technique, Amarnath ordered Sardesai to be fast-tracked into the playing XI, thus making his first-class debut before he played for Bombay. He didn't disappoint the Lala, scoring 87, and was picked for a Board President's XI side to play Pakistan on the same tour, hitting an unbeaten century in that game.

Despite that bright start, Sardesai's debut season for Bombay was largely unexceptional, but he got a national call up when England toured in the 1961-62 season. Sardesai made his debut in a test match at Kanpur and scored 28, batting at number seven, before falling hit wicket. Sardesai was picked for the tour of the West Indies in 1962 that followed. He played in the first test at Port of Spain and perished cheaply in both innings and was dropped for the next test. Before the third test, India were playing a practice game against Barbados when Charlie Griffith cracked open Indian captain Nari Contractor's skull. Sardesai had opened with Contractor but had already been dismissed when the incident happened. With Contractor was ruled out, it created an opening to get into the XI for the third test, which was also scheduled in the fast track of Barbados. The entire team had been terrified witnessing what had happened to their captain. Contractor had almost lost his life from excessive blood loss. In fact, his counterpart, Sir Frank Worrell, had donated blood to save his life as did some of his own team-mates. There were hardly any takers to go out and open the batting against a new ball pair of Wes Hall and Charlie Stayers. Sardesai, a natural middle order bat who mostly batted at number three for Bombay, put his hand up. Despite never having opened in a test match before, he batted with accomplishment, scoring 31 and 60, and was the only Indian player to reach double figures in both innings. His compact handling of the new ball impressed many. But in the next test, again at Port of Spain, he had a disastrous outing, bagging a pair and was immediately left out of the last test match.

When England visited India in January 1964, Dilip Sardesai had a brilliant series, scoring 449 runs in the five test matches with five half centuries. His best showing was at Kanpur, where he scored 79 and 87. The knock of 87 came after India had been forced to follow-on. Sardesai occupied the crease for an excess of four hours and ensured safety for India. In the winter of that year, Bobby Simpson's Australian side toured India and played a keenly contested three test series that was shared 1-1. Sardesai had a largely quiet series, scoring only 115 runs in five innings, but his lone half century came in a tense chase of 254 in Bombay, which India pulled off with just two wickets in hand in securing one of its most famous victories. Sardesai bounced back with the strong showing against New Zealand narrated above.

At few months short of his 25th birthday, it appeared that Dilip Sardesai had finally arrived. However, the dream would soon turn sour. In the next winter, against Sir Gary Sobers' touring West Indies side, Sardesai struggled badly, scoring just 60 runs in four innings. He was selected for the tour of England in the summer of 1967 but endured a nightmare. He slipped and fell on a staircase in the pavilion and missed the first test at Leed's. He was fit for the second match in Lord's and scored a patient 28 but suffered a cracked finger off a John Snow delivery while batting, which ended his tour prematurely. He was picked for the tour down under in the winter, but after scoring just 18 runs in his first four test innings, was discarded and didn't play another game on that tour.

India played eight test matches at home during the 1969-70 season against Australia and New Zealand. Despite being in a rich vein of form for Bombay, Sardesai played just one of these games against Australia on his home ground of Brabourne but failed yet again, scoring 20 and three. Meanwhile, the landscape of Indian cricket was about to undergo a sea change. After the defeat against Bill Lawry's Australians at home, the captaincy of the Nawab of Pataudi (Jnr.) had come under the scanner. Up next was a tour of the West Indies, the place where India had been blanked on their last tour nine years ago. The new chairman of selectors, Vijay Merchant, wanted fresh blood in the team. Nearing 30, it seemed Dilip Sardesai's international career was well and truly over.

For the West Indies tour, Pataudi was replaced by Ajit Wadekar as captain. Several other changes were also rung in. Fifteen of the 16-man squad to tour the Caribbean had been selected – only one slot was left - and the choice was down to three experienced batsmen - Pataudi, the just deposed captain, Chandu Borde and Sardesai. Pataudi pulled out of the tour citing personal reasons and the choice was down to Sardesai and Borde. Merchant was keen on Borde to make the cut, but the final decision was left to the new skipper. Ajit Wadekar had known Dilip Sardesai from their college days. In fact, when Dilip Sardesai was piling on the runs for university, Wadekar was his captain. Wadekar insisted he wanted Sardesai on the tour. Merchant had to relent finally. As the incidents to follow would show, Wadekar's instincts served him well.

Despite being named in the squad, Sardesai was an unlikely selection for the first test. But this time, luck shone on him. India had pinned their batting hopes for the tour on their two new finds: GR Vishwanath who had scored a hundred on debut against Australia two years ago and Sunil Gavaskar, who was set to make his debut on the tour. Before the tour opener, a practice game against Jamaica, Vishwanath got injured. Sardesai replaced him in the playing XI and scored 97 on a pacy Sabina Park wicket. Then, just before the first test, also at Kingston, Gavaskar was ruled out due to injury. Sardesai was named in the playing XI, this time slated to bat in his preferred middle order position. He was though destined to face the new ball, walking in at 13/2 and soon seeing the score reading 75/5. Bad memories of the disastrous tour of 1962 must have come flooding in. Sardesai though was unperturbed. Before walking out to bat, he had told his long-time mate Salim Durrani that the West Indian bowling attack was '*popatwadi*' – an Indian slang meaning useless. Sardesai now proceeded to demonstrate it. Finding an unlikely ally in Eknath Solkar, he added 137 for the sixth wicket, giving respectability to the total. During this knock, he also gave a great demonstration of his sharp cricketing intellect. As the ball was getting older, the Indian pair were handling the spinners with ease and Sardesai realized that Sobers would consider taking the new ball, which would pose more problems, especially for Solkar. Sardesai called his partner over and told him that they would go easy on the spinners, play quietly, miss a few intentionally and would shout out 'well bowled' to the bowler every now and then, so loudly that it reached the ears of Sobers. Sardesai's plan worked out perfectly. Sobers kept his spinners on, thinking they were troubling the Indian batsmen and the partnership prospered.

After Solkar was dismissed, Sardesai added a further 122 for the ninth wicket with EAS Prasanna that changed the complexion of the game. Sardesai was finally the ninth man out with the total reading 382, after batting for ten minutes short of eight hours. He had scored 212, his second test double century and probably the most important knock of his career. It was also the first ever double by an Indian away from home. Prasanna, Bedi and Venkat ran rings around the West Indian batsmen and India enforced a follow-on for the first time on West Indies. Although defiant batting in the second innings by Kanhai and Sobers saved the hosts, India had landed the first punch in the encounter. And their diminutive number four had played a key role in that. During the game, while chatting in the balcony of the players' pavilion, Sardesai pointed to Sunny Gavaskar and told the West Indian bowlers, "*Forget me, this lad will also hit a double against you in this series.*"

In the next game at Port of Spain, Sardesai continued his rich vein of form, scoring 112 and adding 96 with Gavaskar (who made 65 on debut) and 114 with Solkar. Venkat rocked the Windies in the second innings with five wickets and although Sardesai fell cheaply in the chase of 124, an unbeaten 67 by Gavaskar ensured history was written, as India won their first ever test match in the West Indies. Gavaskar dominated the drawn third test at Georgetown with knocks of 116* and 64*. The only time he batted, Sardesai scored 45 and added 61 crucial runs with Abid Ali.

The fourth test match was in Barbados. As India flew in from Guyana, Sardesai was asked at the airport by customs officials if he had anything valuable to declare. He calmly replied, "*I have come here only with runs and I'll go back with more.*" Such was his confidence. In that match, West Indies racked up 501 thanks to a magnificent 178* from Sir Gary Sobers. With Vishwanath back, Sardesai had slipped down to number six in the batting order now. When India came out, it was mayhem. Gavaskar suffered his first failure, falling for just a single. Sardesai walked out at 64/4 which soon turned into 70/6. The hosts were savouring the prospects of a series levelling victory. But in nearly an encore of Kingston, Sardesai stood like a wall, adding 186 precious runs with Solkar - who once more batted out of his skin. After Solkar fell, Sardesai carried on with the tail, finding an able ally in last man BS Bedi - with whom he added 62 runs before he became the last wicket to fall for a magnificent 150 in exactly six hours of batting. Gavaskar's second hundred of the series in the second innings ensured India held on to their lead. Sardesai chipped in as well, scoring 24 in a 60-run stand with Gavaskar.

When Sardesai hit 75 in the last test at Port of Spain, he became the first Indian batsman ever to score 600 runs in a test series. Incidentally, his record stood for only five days. Gavaskar made 124 in the first essay and followed it up with 220 in the last innings, thus making good on Sardesai's prophecy. In the process, he went past Sardesai's total and set a new Indian record of 774 runs that stands even today. Sardesai's aggregate of 642 in that series has only been bettered thrice since – once by Gavaskar again in 1978-79 and twice by current Indian captain Virat Kohli. India came within two wickets of registering their second win over the Windies but just fell short. In any event, they had done the unthinkable – defeating the mighty West Indies on their own turf. It was a momentous occasion. Although India had won overseas against New Zealand a few years back, defeating Sobers' men in their own den was something that was not in the wildest dreams of any Indian fan. And playing one of the most crucial parts in this was the man who almost didn't make it to the touring party. The redoubtable Vijay Merchant dubbed Dilip Sardesai as the 'Renaissance Man' of Indian cricket. It is said that on way to the Caribbean, the Indians had a brief stopover in New York where they had witnessed the famous Mohammad Ali versus Joe Frazier boxing bout, dubbed as the 'Fight of the Century'. Frazier, the underdog, had prevailed over the more fancied Ali in the contest. It is said that witnessing Frazier's toughness and determination had a big impact on the Indian team and especially Sardesai, which helped them in pulling off an upset of their own.

The returning heroes received a tumultuous welcome in Bombay from fans and the fraternity. But they were scheduled to leave on another mission soon after – a trip to England. In their last three tours to the Isles, India had lost 11 out of 12 test matches played, including whitewashes suffered in the last two trips. This time though, a supremely confident team flew out ready to set the record straight. Sardesai had a quiet time in the first two tests, both of which were drawn. At the Oval in the last match, Sardesai was back to doing what he did best, pulling his team out of trouble. Walking out early as Gavaskar fell cheaply, Sardesai hit a composed half century that ensured India didn't concede a big lead. After Chandrasekhar had bamboozled the English batsmen with six wickets, India were set 174 to win the game. Gavaskar suffered a rare twin failure, falling to John Snow for a duck. But Sardesai once again put up his hand and first with his captain Wadekar, and then with GR Vishwanath, put on crucial partnerships that steadied the innings. When he fell for 40, India needed another 50 runs. Vishwanath and Engineer ensured no further drama ensued as India won their first ever test match in England as well as bagging the series.

For the Indian team, it was an unbelievable triumph. A team that till only a few months back hadn't won an away series except in New Zealand, had now knocked out the West Indies and England on their home turfs in quick succession. The welcome back this time was even bigger and better. A short film of the clips of some of the finest moments in the Caribbean and England was made. It was shown in many Bombay cinema halls before the start of movie shows. For Dilip Narayan Sardesai, it was an unbelievable comeback.

Sardesai played only one more test, at home against England in December 1972. After another season with Bombay, he called time on his playing career. Dilip Sardesai played 13 domestic seasons for Bombay and appeared in ten finals, winning all. In fact, Bombay never lost a game with Sardesai in the ranks. Even after his playing days were over, Sardesai remained a fan of the game and was often spotted in various Bombay grounds watching the next generation play, never afraid to walk up and offer some invaluable advice. Off the field, Sardesai was a jovial man. His nickname among his peers was 'Sardee-Singh'. During an overseas tour, Salim Durrani received a phone call from a 'fan' who wanted to give a gift to Durrani and requested him to come down to the lobby. Durrani promptly dressed up, went down to the lobby, saw no one and came back to his room. A few minutes later, he again received a call with an apology and a request to come down once more. Again, he didn't find anyone and just as a frustrated Durrani was about to return to his room, he saw Sardesai laughing uncontrollably in a corner of the lobby. In his later years, he spent a lot of time shuttling between Mumbai and Goa, where he had a second home. His son Rajdeep earned a cricketing Blue from Oxford University but concentrated on his journalism career.

In June 2007, Sardesai's health deteriorated and he had to be hospitalized. He had been suffering from a kidney ailment for a while and it turned for the worse. The Renaissance man of Indian cricket breathed his last on July 2, 2007, leaving behind a rich legacy. At his funeral, his captain on the Caribbean tour, Ajit Wadekar had said, "*If we won the test series in 1971 in the West Indies, 90 % of the credit goes to him (Sardesai).*" In 2009, the Government of Goa instituted the Dilip Sardesai Sports Excellence Award, which is presented every year to sports achievers of Goa. On August 8, 2018, Google made a special doodle to remember this legend of Indian cricket on his 75th birth anniversary.

Chapter XIII

THE MAN FROM THE FUTURE

The role of fielding in Indian cricket in its early years was mostly an afterthought. Yes, there was the occasional brilliance of individuals like GS Ramchand. However, it suffices to say that fielding was hardly given much importance till the Nawab of Pataudi took over the captaincy in the early 60s. Therefore, it is bit of a surprise to learn that in 1956, a 15-year-old boy was selected in a Hyderabad schools' team primarily because the concerned selectors were impressed with his fielding. He didn't let down their trust either, winning the best fielder award in the tournament. That boy was Syed Abid Ali, who may well have appeared to his contemporaries as a man from the future. He worked maniacally hard on his physical fitness - something that was quite alien for his times - and ran fast and swift between the wickets though that, at times, resulted in both him and his partner ending up at the same end! In an era when bowlers were not known to display emotion, Abid Ali didn't mind the occasional grin or wink at the batsmen after the latter had played and missed, and he worked very hard on his fielding. Over time, he became a champion in the discipline, both in close-in catching as well as patrolling the outfield.

Syed Abid Ali was born in Hyderabad on September 9, 1941 and grew up studying in St. George's Grammar School and All Saints High School. He made his debut for the Hyderabad state team in the 1959-60 season. His primary claim to fame remained his electrifying fielding. His initial years for Hyderabad were quite average – he didn't score his first hundred till 1967. Surprisingly, he was named in the Indian squad to tour Australia and New Zealand in 1967-68. For the series opener, India lost their captain, the Nawab of Pataudi (Jnr), to an injured hamstring. Abid Ali was known as a useful lower order batsman who occasionally turned his arm over in classic military medium pace. He was selected to make his debut. India bowled first and Australian openers Bobby Simpson and Bill Lawry treated India's new ball pair of Kulkarni and Surti with disdain. Abid Ali was brought on as first change and secured India the breakthrough, breaking a 99-run opening stand, dismissing Lawry. Just 11 more runs were added before Simpson was caught by Abid off his own bowling. He would go on to dismiss Bob Cowper eight short of a hundred besides picking up three more wickets, ending with 6/55. It was a stunning debut – Abid became the first bowler from India to take six wickets in his very first innings. With the bat, Ali played two gutsy knocks of 33 in each innings as well. Although India succumbed to a big defeat, Abid Ali had made a good first impression.

It ensured that Abid was in the side when Pataudi returned for the next match at MCG. It was an unhappy match as Abid Ali went for 106 off his 20 overs and fell for four and 21. He failed to shine much with the ball in the remaining two tests, taking just one wicket, but did well in batting. In the third test at Brisbane, with Sardesai left out, Abid Ali was asked to open the batting. In the second innings, he made an attractive 47 in just 54 minutes with seven boundaries. But his best showing came in the last match at the SCG, where opening again, he made 78 and 81, although that couldn't prevent another defeat.

After the disappointment of losing all the tests in Australia, India crossed the Tasman Sea to lock horns with New Zealand. Abid Ali's gentle medium pace was expected to be more useful in the swinging climes of New Zealand. In the series opener at Dunedin, Abid Ali bowled a beautiful spell of 4/26 from 15 overs. He followed it up with a miserly display in the second innings where he gave away only 22 runs in 19 overs. Although he didn't pick up a wicket, his nagging accuracy ensured pressure on the batsmen, which was capitalized by the Indian spinners who ran through the batting. History was made as India won their first ever test match overseas. Sadly, although Abid Ali played all the remaining three tests, with the focus on the Indian spinners, his bowling opportunities became limited. He got just eight overs in the third test at Wellington and wasn't bowled at all in the last match. Abid Ali struggled with the bat, scoring just 124 runs in the series. However, it was a happy team that returned, having secured the series 3-1, India's first ever series win outside the country.

Abid Ali remained a useful member of the team for the years to come, although with the spinners dominating, he was mostly used to take the shine off the new ball. Despite this, he produced the occasional brilliant display like against New Zealand on his home-ground in 1969, when he bowled 39.1 overs across two innings, taking 4/64. Some of Abid Ali's finest moments came in the glorious summer of 1971. In the historic win over West Indies at Port of Spain, Abid Ali got things off to the greatest start possible by bowling Roy Fredericks off the first ball of the match and then dismissing Clive Lloyd for seven.

As India chased down 125 in the last innings, Abid Ali was at the non-striker end when Sunil Gavaskar hit the winning stroke. He had put on a partnership of 41 with Gavaskar that sealed the game for India. In the next at Guyana, Abid Ali, batting at number eight, made an unbeaten half century and ensured India overtook the hosts' total. In the final test also, Abid Ali got Fredericks for just a single on the very first morning before picking up three wickets in the second innings, including those of Lloyd and Sobers.

A few months later, on the England tour, Abid Ali gave another brilliant display of his bowling. On the opening day of the second test at Old Trafford, Abid Ali picked up four wickets in the morning session, reducing England to 41/4. Some belligerent batting from Ray Illingworth and Brian Luckhurst and the Indian spin attack rendered ineffective on a day one wicket meant England recovered. Ali ended with 4/64 from 32.4 overs. In the next game at the Oval, Abid Ali came in to bat with India needing three runs to win a historic first ever test in England. He completed the formalities by hitting a boundary, in the process also securing the series - another first for team India. Abid Ali toured England again in 1974. In the first test at Old Trafford, India were in dire straits having lost seven for 143 when Abid Ali joined Gavaskar. The pair added 85 before Gavaskar fell for 101. Abid Ali tried to carry on with the tail, becoming the last wicket to fall for a fine 74, made from just 113 balls. He also had a decent game with the ball, picking up four wickets. However, he had an ordinary series after that.

The 1974 tour was a debacle for team India. They lost all three tests, including suffering the ignominy of getting all out for 42 at Lord's, their lowest ever total. Wadekar, the captain, was sacked and retired from cricket. By this time, Abid Ali was nearly 33 years old although he was still among the fittest in the team. The emergence of younger options with the new ball like Madan Lal and Karsan Ghavri meant Abid Ali's time was running down. When West Indies toured India in the winter of '74, Abid played in the first test and scored a fighting 49 but proved expensive with the ball. The second test in Delhi would turn out to be Abid Ali's last. He fell for single digits in both innings and against a rampant Vivian Richards, went for 47 from seven overs. He was selected in the squad for the inaugural ODI World Cup in 1975 and played in all three of India's matches. He took two wickets each in the first two games but didn't get to bat. In the last encounter against New Zealand, Abid Ali top scored for India with 70 off 98 balls and took 2/35 off 12 overs. That was to be his last appearance for India. He continued playing for Hyderabad for a few more years before calling it a day in 1979.

Abid Ali wasn't the most gifted player to have played for India. But every time he turned out for the national side, Abid Ali gave it his everything in all three aspects of the game. He was a jovial person who enriched any dressing room and was a role model for effort, enthusiasm and physical fitness for junior cricketers. He had taken over the captaincy of Hyderabad from ML Jaisimha and helped many younger cricketers with his advice and playing tips. One of his everlasting contributions was his brilliant close-in catching along with Eknath Solkar, which played a big role in boosting the wickets tally of the Indian spinners. In

1980, Abid Ali moved to California. In a bizarre incident, news of his death was announced in several media outlets by mistake when he was undergoing a bypass heart surgery in the 1990s. Fortunately, Ali survived the ordeal and returned to his favourite game with several coaching stints - with Maldives in the late 90s, the Andhra Pradesh Ranji team in the 2001-02 season and UAE between 2002 and '05. To this day, he resides in California and coaches promising youngsters in the Stanford Cricket Academy.

Chapter XIV

THE GREAT WALL OF INDIA

Fans of Indian cricket are well acquainted with The Wall, the incomparable Rahul Dravid. But for several years in the mid-late '70s, India had a man whom his team-mates and adversaries had dubbed 'the great wall' because of his incredible patience and obduracy while batting. This man was Anshuman Gaekwad. Distantly related to the royal family of Baroda, his father Dattaji Gaekwad played for India during the 1950s and led the side on the tour of England in 1959. Anshuman Gaekwad was born in Bombay on September 23, 1952 but played his first-class cricket for Baroda.

He received his first national call up during the home series against the West Indies in the winter of 1974. India had lost the opening two games. Defeat in the third at the Eden Gardens would have cost them the series. With Sunil Gavaskar out with an injured arm, Gaekwad got the opportunity to make his debut. He batted at number six. The West Indian pacers had reduced India to 94/4 when Gaekwad joined GR Vishwanath. He batted determinedly for more than one and a half hours, making 36 and adding 75 with Vishwanath – the highest partnership of the innings. Although Gaekwad failed in the second innings, a superlative hundred by Vishwanath and superb displays by Bedi and Chandra in the last innings helped India to a famous win. At Madras in the next match, Gaekwad walked out in the second innings - with India five down and the lead only 83 - to join Vishwanath once again. He batted in excess of four hours, first adding 93 with Vishwanath for the seventh wicket and then, a match-turning 68 with Karsan Ghavri for the ninth. Gaekwad was the eighth man out at 256, run out 20 short of his maiden hundred. India's spin trio made merry once more as India stormed back to level the series 2-2. Although the last test in Bombay was lost, Gaekwad once again gave a good account of himself, making 51 and 42.

A year later, Gaekwad was on the Caribbean tour. After scores of 16 and 14 in the series opener, he was dropped for the second but was recalled as an opener for the third at Port of Spain. After falling cheaply in the first innings, Gaekwad walked out with Gavaskar to chase down an improbable 403. It was imperative for India to get a good start. With Gavaskar in good form, Gaekwad gave solid support as the first wicket added 69. Although Gaekwad was out for 28, the first wicket stand laid the foundation of a famous chase and India set a new fourth innings record in registering a famous win. The next match in Kingston has gone down in history with infamy but it added several brownie points to Gaekwad's CV. Frustrated at losing the third test, Windies skipper Clive Lloyd had assembled a four-pacer attack aimed at hurting the Indian batsmen. The pitch was a freshly laid one which soon started misbehaving. Egged on by a raucous crowd, the hosts' pacers went hammer and tongs at the Indian batting. As shouts of *'kill 'em maan'* filled the air, the Caribbean pacers, led by Michael Holding, hurled bouncers and beamers with gay abandon while the umpires chose to turn a blind eye. However, Gaekwad, in the company of Gavaskar, weathered everything thrown at him with remarkable determination and patience. Despite being hit several times on his body, he didn't flinch and carried on, first with Gavaskar and then Amarnath.

With the score reading 205/1, all hell broke loose. Amarnath fell to a vicious short ball and shortly after, Vishwanath was out to a ball that also broke his finger. Gaekwad had batted seven and a half hours in scoring 81 when Holding pitched one short. Gaekwad ducked to evade the bouncer, but the ball had hit one of the rough patches and came in at a much lower height. It thudded into Gaekwad, hitting him just behind his ear. Gaekwad collapsed, bringing back nasty memories of the Nari Contractor incident. He had to be hospitalized and spent two days in the ICU, as a punctured eardrum had to be surgically repaired. A few inches to one side and it may well have turned fatal for Gaekwad. As it is, it left him with hearing problems for the rest of his life. When India landed home after the tour, Gaekwad, with large parts of his head and face covered in bandage, appeared to be returning from a war. But his reputation had been enhanced significantly.

Gaekwad had a decent series at home versus New Zealand next, making 42 at Mumbai and 43 & 77* in Kanpur. It appeared that Gavaskar finally had a steady opening partner. But when Tony Greig's England side toured India, Gaekwad had a below par series, scoring 165 runs at 20.6 with a highest of 39. When India toured Australia the next winter, Gaekwad made it to the touring party but was replaced at the top of the order by a returning Chetan Chauhan in the playing XI. He played only in the fifth test, batting in the middle order, but failed to get going and was dropped from the tour of Pakistan next. However, he was recalled when Alvin Kalicharran's side toured India in the winter of 1978. Against the old foe, Gaekwad rediscovered form, making 87 in Bangalore in his comeback game and following it up with 47 in Delhi and 102 in the last test at Kanpur, his maiden test hundred. However, with Chauhan well established in the opening slot, Gaekwad mostly had to bat in the middle order now. He toured England next but after making just 54 runs from four innings, was discarded from the side.

For the next close to four years, Gaekwad remained out of the national side. He would finally receive a recall when India toured the West Indies in early 1983. Chetan Chauhan had retired a couple of years ago and India had once been again struggling to find a partner for Gavaskar. The West Indies bowling attack was as formidable as it gets with Roberts, Holding, Garner and Marshall at the helm. Gaekwad struggled initially, making only 70 runs from his first six innings. He finally found form in the second innings of the Barbados test. Trailing by 277 runs, India were looking down the barrel. Gaekwad gritted it out, making 55, although India barely avoided an innings defeat, losing by ten wickets. In the last innings of the tour, Gaekwad played another patient knock, adding 200 with Amarnath after Gavaskar had fallen cheaply. Gaekwad's contribution was 72 in nearly four hours of batting.

Against Pakistan, at home, Gaekwad made 66* in Bangalore and then at Jalandhar, played his magnum opus – 201* in 11 hours and 11 minutes of batting, setting a new record for the slowest double hundred in test cricket. Lloyd's West Indies toured India next, handing out a real pasting to the home team in winning the test series 3-0. Gaekwad had his worst ever series, making only 174 runs in six tests at an average of below 16. He was still picked for the short tour of Pakistan in the winter of 1984 and performed well, making half centuries in both the test matches. The home series versus England in 1984-85 would turn out to be Gaekwad's last. Incidentally, he played his final game in the same venue where he had made his debut – the Eden Gardens of Calcutta.

Anshuman Gaekwad's batting was less about attractiveness and flair and more about dogged determination and courage against hostile fast bowling. He played 22 out of his 40 test matches against the West Indies – many of them without helmets – and except for the last series at home, performed admirably. He was one of the batsmen who really put a price tag on their wicket and refused to go down easily, even braving physical pain – as he showed during the innings at Port of Spain. The Gavaskar/Gaekwad pair opened the batting for India on 49 occasions and made 1722 runs as a pair – putting them at number four in terms of runs made among all Indian test opening pairs. Gaekwad continued to serve Indian cricket in various capacities post his playing career, serving in the selection committee as well as being the national team coach on two occasions. At present, he is a member of the BCCI apex council for the Indian Premier League.

Chapter XV

THE ACCIDENTAL PACER

The boy had picked up cricket in school as a left arm slow bowler. One day, his school team captain, who was a pacer, was injured and couldn't play. The school coach asked him to run up from 10-12 yards and bowl with pace. He did what was asked – and in six overs, ended up taking five wickets. His coach suggested to him that he stick to bowling quick and he went from strength to strength, making his Ranji Trophy debut for Saurashtra in the 1969-70 season as a left arm pacer.

The boy was Karsan Devjibhai Ghavri, born on February 28, 1951. He started playing cricket when bowling with the new ball was hardly a good choice for an aspiring cricketer. In the late '60s-early '70s, the national team had seen such luminaries like reserve wicket keeper Budhi Kunderan and specialist batsmen like Nawab of Pataudi (Jnr.), Ajit Wadekar and even Sunil Gavaskar take the new ball - as the entire attack revolved around India's famed spin quartet. In the early '70s, Bombay were playing Saurashtra in a Ranji game. A young Ghavri caused all kinds of trouble to Bombay's famed batting line up on Rajkot's matting wicket. He ended up impressing the people who mattered in Bombay cricket. Shortly thereafter, Ghavri left his home state to join Bombay. His move was made possible due to intervention by some of the major figures of Bombay cricket like Polly Umrigarh, Madhav Mantri and

Kunwar Indrajitsinhji. Ghavri struggled in Bombay, staying in a small rented room and badly missing home food. It is said that he would often dash off to Rajkot, desperate for his mother's cooking, but was sent back by his father and uncle.

However, turning out for Associated Cement Company (ACC) team in the office league along with several well-known names of Indian cricket helped harden both Ghavri's game and temperament. He was picked in the side for the home series against Clive Lloyd's West Indies in the winter of 1974-75. He made his debut at the Eden Gardens, Calcutta, in a match India won after being 0-2 down in the series. At the end of the third day, India were leading by 199 with only the tail to come. Ghavri was batting with GR Vishwanath. After the day's play, some of the selectors advised the debutant to just look at surviving out there and leave the scoring responsibility to his senior partner. After the selectors had left, Pataudi, the captain, told his young ward to forget whatever he had just heard and instead play his natural game.

Ghavri chose to listen to his captain. He played a vital hand of 27, providing crucial support to Vishwanath in an invaluable partnership of 91 for the seventh wicket. When India came out to bowl, Ghavri landed the first blow by dismissing Gordon Greenidge leg before. This match would largely be the blueprint for the entirety of Ghavri's 39-test career. He wasn't very fast but had a distinctive leap before the release, which lent itself to an awkward bouncer that batsmen didn't enjoy. Rarely a man to run through the opposition, Ghavri could be well relied upon to pick up key wickets here and there. With the bat, he was a pesky customer to get out, often hanging around to provide support to a more established partner. He displayed this in his second test in Madras. Ghavri got just eight overs of bowling in the game but managed to dismiss Roy Fredericks. In India's second innings, Ghavri came to bat with India's lead at 186. Along with Gaekwad, he added 68 runs in a dogged rear-guard stand. Once Gaekwad got out, the remaining two wickets went without adding anymore, showing the value of the partnership. Ghavri remained not out for 35 - made in nearly an hour and a half's batting. This stand was crucial in setting up an Indian victory, which levelled the series 2-2. In the last test at Bombay, Ghavri bagged 4/140 and 2/92 but was expensive against the rampaging West Indian batsmen as India went down.

After a decent debut series, Ghavri was unlucky to be overlooked for the tours of New Zealand and the Caribbean the following year. He returned for the home series against New Zealand in the winter of 1976-77 and remained a largely permanent fixture in the side for the next five years. Against England at Bombay in February 1977, Ghavri produced a magical spell. The Indian spinners - captain Bedi, as well as Prasanna and Chandrasekhar - were struggling to make much of an impact. Bedi had gone off the field with his deputy Gavaskar in charge. A short while later, Bedi came out in the balcony and saw that England were all out. Bedi enquired as to who took the wickets. When he heard it was Ghavri, he asked if Gavaskar had taken the new ball. The captain was left in shock when he was told that on Gavaskar's suggestion, Ghavri had bowled left arm spin and dismissed Tony Greg, Alan Knott, Roger Tolchard and John Lever in quick succession, to add to the wicket of Derek Randall he had picked up earlier, bowling pace. It was Ghavri's first ever five wicket haul in test cricket. An amused Bedi reportedly later told Ghavri never to bowl spin again. When Ghavri asked why, Bedi replied "*If you take five wickets as a left arm spinner, then what use am I?*"

Ghavri had a fairly successful tour of Australia in 1977-78. This series was played in the backdrop of Packer's World Series Cricket (WSC). Australia were missing almost all their frontline players. Bobby Simpson came out of retirement at the age of 41 to lead a secondary side. Despite this, the series was keenly contested, and India narrowly lost 2-3. In the fourth test at SCG, Ghavri made his first test half century, adding 81 with Kirmani and 51 with Prasanna. He also picked up two wickets including that of top scorer Peter Toohey as India inflicted an innings defeat. Although India lost the last match at Adelaide, Ghavri had a brilliant game with the ball, taking 3/93 and 4/45, besides making a stubborn 23 and adding 67 with Kirmani. India, chasing 493, lost narrowly by 47 runs. The following winter, India toured Pakistan for the first time in 24 years. In their ranks was a young fast bowler from Haryana called Kapil Dev Nikhanj. Ghavri only played the last test in Karachi, where he shared the new ball with Kapil. For the first time since the era of Amar Singh and Nissar, India had two bowlers with the new ball - both of whom could be termed proper fast bowlers.

Ghavri and Kapil formed a successful bowling pair for the next few years. This was a period of change in Indian cricket. By the end of 1979, India had lost three-fourth of their famed spin quartet. Only Venkat was still around but even he was in the last phase of his career. In this period of transition, Karsan Ghavri played an important role, helping Kapil Dev to ease into the side while also responding to wicket taking responsibilities. Ghavri's best series was the home encounter against the West Indies in 1978-79. The visitors were missing most of their big names due to World Series Cricket but still, it was a big moment for India - winning the series against West Indies at home for the first time. Ghavri played in all six tests and picked up 27 wickets at the average of 23.5. He picked up seven wickets in both Bangalore and Calcutta – the former including his second five-wicket haul in test cricket. In the second innings of the Madras test, Ghavri picked up three wickets as Kallicharan's men were shot out for just 151 and India aced a tight chase to get the only result in that series. Together, Ghavri and Kapil picked up 44 wickets in that series – a remarkable achievement for an Indian new ball pair.

Against Australia, at Bombay in 1979, Ghavri coming in at number nine, smashed 86 from just 99 balls, with 12 hits to the fence and three over it. In the process, he added 127 with Kirmani, who hit an unbeaten hundred. India's new spin duo of Dilip Doshi and Shivlal Yadav spun out Australia to deliver an innings win. In the next series against Pakistan at Kanpur, Ghavri saved India from ignominy. Sikander Bakth and Ehtesamuddin had India tottering at 69/8 before Ghavri took charge, making 45* and put on stands of 48 and 45 with Shivlal and Doshi, taking India to a respectable 162. Ghavri's efforts would go a long way in ensuring India escaped with a draw. In the third test of the same series at Bombay, Ghavri took 4/63 and in tandem with Dilip Doshi, bowled India to a 131-run victory. In the Jubilee test at Bombay, when Ian Botham almost singlehandedly pushed India to defeat, Ghavri was the pick of the bowlers, taking 5/52 – his wickets included

Botham himself. Ghavri took another five-wicket haul in the next match he played against Australia at SCG, although it again came in a losing cause. With Kapil also picking five, it was the first occasion when two Indian pacers split all the opposition wickets.

In the last match in Melbourne. Australia only had to chase 143 to take the series 2-0. Kapil and Shivlal Yadav were out of action with injuries while Dilip Doshi had severe damage to his toes but still came out to bowl. Ghavri was India's only fit bowler. The situation was so desperate that he shared the new ball with Sandeep Patil. It was Ghavri who drew first blood by dismissing John Dyson. Up next was Australian captain Greg Chappell. The very first ball, Ghavri bowled was a slower delivery on the leg stump. Chappell tried to hit it on the onside but played all over it, the ball went behind his legs and crashed into the stumps. The dismissal turned the game with Australia ending day four on 24/3. Next day, egged on by Gavaskar, Kapil came out to bowl and destroyed Australia for only 83. Ghavri had 2/10 from his eight overs. It was to be the first time India were leaving Australia with a shared series and the first time they had defeated a full-strength Australian side in their own backyard. Ghavri played just one more match after this famous win - on the tour of New Zealand that followed immediately. He lost his place thereafter to Madan Lal.

Post his playing days, Ghavri enjoyed a successful coaching career. In 1993-94, he coached a young Bombay side led by Ravi Shastri to the Ranji Trophy title. He also coached Bengal and his home state Saurashtra. After losing out on the crown in 2018-19, Saurashtra won the gold in the most recent edition – their first Ranji win after independence – with Ghavri playing a key role behind the scenes. He was also instrumental in the revitalization of left-arm pacer Jaydev Unadkat, who ended as the highest wicket taker in the 2019-20 season. Incidentally, not many know that the Saurashtran and Indian test team batting mainstay, Cheteswar Pujara, was first spotted by Ghavri. After seeing the 11-year Pujara play the bowlers of the Bharat Petroleum (BP) team with ease, Ghavri, who was the BP coach, asked Pujara's father to concentrate on his son's cricket as he had it in him to go a long way.

After winning the Ranji title, Karsan Ghavri decided to bid adieu to the Saurashtra team on account of his increasingly frail health. Karsan Ghavri was the first Indian quick bowler to take 100 wickets in test cricket. Most importantly, for a country that had almost forgotten the role of pace bowling, he kept the flame burning till Kapil's arrival on the scene.

Chapter XVI

OLD IS GOLD

The famed Indian spin quartet of Prasanna, Chandrasekhar, Venkataraghavan and Bedi is well-known among cricket fans worldwide for their exploits in the late '60s and the '70s. As world cricket embraced raw pace as the weapon of attack, India was left as practically the last bastion of the art of spin bowling. And it didn't end with the fabled quartet either. At home, India had three slow bowlers, all left-arm who would have probably walked into many test XIs of the time. The two older men of the trio, Padmakar Shivalkar and Rajinder Goel, were distinctly unlucky to never wear India colours. The third man in the group though was a bit luckier. The chance to play test cricket came late in his life but when it came, he made the most of the opportunity.

Dilip Rasiklal Doshi was born in Rajkot on December 22, 1947 but was brought up in Calcutta. He studied at the St. Xavier's College, Calcutta and later pursued law studies. He was selected for the Calcutta University team and played in the Rohinton Baria inter-university tournament. The cricket season in Calcutta was restricted to the winter months. During the monsoon, Doshi started traveling to Bombay to stay in touch with the game and play in the Bombay *maidan* tournaments like Kanga League. It further helped him grow as a bowler. He made his debut for Saurashtra in the 1968-69 domestic season but played most of his first-class cricket for Bengal and also led them. In 1974, Doshi produced a magical spell of 6/6 against Assam. Unfortunately, with Bedi sailing high, it was not possible for Doshi to get into the test team.

Also, playing for Bengal was another handicap he had to fight. In the '60s and '70s, very few players from the East Zone got a chance in the national side. Most often, board officials or selectors didn't even bother to turn up for games involving East Zone teams. Once, Doshi was turning out for East Zone against a touring England side in a practice game. Surprisingly, no one from the selection committee turned up for the match. Raj Singh Dungapur, one of the selectors, asked Ken Barrington, the English manager, to keep a lookout and tell him if someone from the home team put in an impressive show. It was in the early '70s that Doshi travelled to England to practice with the Sussex county side. He even played for the Sussex second XI in a few matches in the second XIs league and turned out for some minor county sides. In 1977, Doshi got a chance to make his county debut for Nottinghamshire first team. Incidentally, one of his first wickets in county cricket was Bishan Bedi.

It was while playing a second XI game for Nottinghamshire that Doshi came to the attention of Sir Gary Sobers. The great man, himself a left-armer, was impressed by Doshi's bowling. He later caught up with Doshi and told him, "*Son, you're all right.*" Many years later, when Doshi wrote his autobiography, it was Sir Sobers who wrote the foreword. By the late '70s, father time was catching up with India's spinning greats. Between November 1978 and September 1979, Prasanna, Chandra and Bedi hung up their boots. It finally opened the gates for Dilip Doshi to get a taste of cricket at the highest level. He was called up to the national squad for the home series against Australia in 1979. Doshi was in England at the time and had to change three flights to reach Madras, en route losing his luggage but luckily not his kit bag, which he had carried in the cabin. Doshi was three months short of his 33rd birthday when he made his debut. And he didn't take long to make a mark. In his very first showing, Doshi bowled 43 overs, taking 6/103. It made him the fourth Indian bowler to take five wickets on test debut. He added two more wickets in the second innings, conceding only 64 runs from 42 overs. In the fifth test match of the series at his adopted home ground of the Eden Gardens, Doshi took 4/92 and 2/50 in front of a 70, 000 strong crowd. But his finest turn of the series came in the last match at Bombay where Doshi bamboozled the Australian batsman, taking 5/43 and 3/60 and helping India inflict an innings defeat.

In the next series at home against Pakistan, Doshi put another impressive display, taking 18 wickets at 28 apiece. His best effort once again came in Bombay where he had a match haul of 6 for 94 in another Indian win. Probably the finest moment of Dilip Doshi's career came in the Australian tour of 1980-81. Doshi had bowled 108 overs in the first two tests, 81 of them in the second game at Adelaide. However, the long spells had taken their toll and scans revealed severe damage to his toes. Despite being in unbearable pain, Doshi bowled 52 overs in the first innings of the last test at MCG. In the second innings, Australia needed to score just 143. India had already lost two bowlers – Shivlal Yadav had his toes crushed by Len Pascoe and Kapil Dev had a bad hamstring injury. Braving pain, Doshi came out to bowl and, along with Karsan Ghavri, kept

India in the game. Doshi put down 22 overs taking 2/33. On the last day, Kapil returned to the field and picked up five wickets as Australia were shot out for a paltry 83. Doshi's grit and determination in bowling, despite being in tremendous pain, earned him the respect of the Australian press and public.

The injury to his toes meant Doshi missed the first test on the tour to New Zealand that followed, with Ravi Shastri replacing him. He played in the next two games and though he only got five wickets, Doshi was difficult to get away for runs. His figures of 1/67 in 49 overs, 2/79 in 69 overs and 2/18 in 19 overs reminded people of Bapu Nadkarni, the miserly left-armer of the 1960s. Back home, Doshi played against England. The first match was in Bombay, where Doshi had taken 14 wickets for 197 runs in his two previous appearances, both leading to Indian wins. It was to be a repeat for the third time as Doshi took 5/39 in 29.1 overs as the tourists were shot out for 166. With Kapil and Madan Lal picking all ten wickets in the second innings, Doshi's services were not required, as India registered a comfortable win. Doshi continued to be at his miserly best in the series – ending with 22 wickets at 21.3 apiece and an economy rate of 1.8 per over. In the fifth test at Madras, Doshi bowled 57 overs, 31 of them maiden, taking 4 for 69. It was India's third consecutive home series win.

On the tour of England in the summer of 1982, Doshi registered his career best figures of 6/102 at the Old Trafford test match. His experience of playing in England came in handy as Doshi ended with 13 wickets in the three matches, although India lost the series 0-1. When Sri Lanka came to India to play their first official test match, Doshi was on song, taking eight in the match including his fifth five-wicket haul. However, Dilip Doshi's international career was now hurtling towards an unsatisfactory conclusion. He was nearly 35, was always a no-hoper with the bat (he ended with a test match batting average of 4.60) and wasn't great in the field either. The emergence of younger spin options like Maninder Singh and Ravi Shastri was putting him under pressure. Also, this was a time of change in cricket. In the aftermath of Kerry Packer, commercial interests were starting to gain prominence in the game. Dilip Doshi was old school in thought - he had once refused to pen a column for a newspaper because he felt it was a violation of a sportsperson's innermost thoughts and confidences. It was not a thought process in sync with the times. Above all else, Doshi's relationship with his captain Sunil Gavaskar had become quite strained. The flashpoint was a test match against England in 1981-82 when Gavaskar had instructed to Doshi to take time between his overs, only to remain silent when, post-match, the bowler was criticized endlessly for India's slow over rate.

It came to a boil on the ill-fated tour of Pakistan in 1982-83 in which India were beaten comprehensively. Doshi picked up another five-wicket haul at Lahore as India drew the series opener. However, he was taken apart by the Pakistani batsmen in the next three tests, bowling 88 overs to take just two wickets – with India losing all three. Doshi was left out of the last two tests. He was also dropped for the tour of the West Indies that followed. Despite taking 22 wickets in 15 ODIs at 23.8 and an impressive economy of 3.96, Doshi wasn't picked for the 1983 World Cup either – primarily because of his weak batting and fielding skills – with Ravi Shastri getting the nod. When Pakistan toured

India in 1983 after the World Cup, Doshi played in the first test, which turned out to be his last appearance for India.

After the end of his cricket career in the Indian team, Doshi played first-class cricket for a few more years and settled down in England post retirement. He became a successful businessman after his playing days were over. Dilip Doshi ended his career with 114 test wickets from 33 appearances at an average of 30.71. He also enjoyed an exceptional economy rate of 2.25. He became only the second cricketer after the Australian great Clarrie Grimmet to take 100 test wickets despite making his debut after the age 30.

With his bespectacled countenance and less than athletic physique, Dilip Doshi rarely appeared like a cricketer. But with the ball in hand, he transformed into a combination of a chess player and a musician, with his turn and loop foxing the best of batsmen. On that famous tour of Australia, Doshi had been taken to the cleaners in the first game by Greg Chappell. But Doshi came back strongly in the next, dismissing the Australian captain in both innings. In the second innings, Chappell danced down the track, but was completely beaten by Doshi in the air and walked off without even trying to regain his ground. If he had been born in another time and place, Dilip Doshi would have been good enough to end up with much more than what he eventually did.

REFERENCES

1. https://www.espncricinfo.com/story/_/id/27546840/review-cricket-country,-prashant-kidambi
2. https://www.thebetterindia.com/159608/palwankar-baloo-cricket-dalit-hero/
3. https://www.bbc.com/news/world-asia-india-48659324
4. https://www.youtube.com/watch?v=0yCtORWt_aA
5. https://defenceforumindia.com/threads/vintage-indian-fast-bowlers-amar-singh-and-mohammad-nissar.61196/
6. https://www.cricketnetwork.co.uk/main/s119/st26334.php
7. https://www.mid-day.com/articles/why-we-must-not-forget-colonel-adhikari/15492196
8. https://www.independent.co.uk/news/obituaries/lt-col-hemu-adhikari-37388.html
9. https://www.indianetzone.com/72/dattu_phadkar.htm
10. www.worldtalke.com/dattu-phadkar
11. https://www.cricketcountry.com/players/dattu-phadkar

12. https://www.cricketcountry.com/articles/dattu-phadkar-the-great-all-rounder-before-the-advent-of-kapil-dev-19144

13. https://www.youtube.com/watch?v=3Vu3C65vECo

14. https://www.cricketcountry.com/articles/probir-sen-the-first-great-indian-wicketkeeper-143336

15. https://www.sports-nova.com/2016/07/20/indias-forgotten-hero-pankaj-roy-bengal-tiger-sourav-ganguly/

16. https://www.britannica.com/biography/Pankaj-Roy

17. https://www.theguardian.com/news/2003/sep/15/guardianobituaries.india

18. https://theprint.in/sport/bapu-nadkarni-the-frugal-left-arm-spinner-who-defined-mumbais-khadoos-cricket/351462/

19. https://www.youtube.com/watch?v=mpZfPTSZ8W0

20. https://www.theguardian.com/sport/2020/jan/21/nadkarni-maiden-epic-cricket-dull-boredom-pleasure-india-england

21. https://www.espncricinfo.com/story/_/id/28502858/indian-cricket-lost-real-champion-sunil-gavaskar

22. https://www.espncricinfo.com/story/_/id/20585253

23. https://www.cricketcountry.com/articles/ramakant-desai-a-big-heart-made-up-for-his-lack-of-inches-and-brawn-28107
24. https://www.youtube.com/watch?v=hmRXMQE1hqo
25. https://www.rediff.com/sports/1998/apr/28b.htm
26. https://www.cricketcountry.com/articles/budhi-kunderan-the-trendsetting-keeper-batsman-born-ahead-of-his-times-31590
27. https://www.espncricinfo.com/story/_/id/21871653/rahul-bhattacharya-meeting-budhi-kunderan-subhash-gupte
28. https://www.espncricinfo.com/story/_/id/22097617/jigar-baaz-cricketer
29. https://www.espncricinfo.com/story/_/id/22097881/r-mohan-rusi-surti-india-answer-garry-sobers
30. https://www.espncricinfo.com/story/_/id/22095689/steven-lynch-rusi-surti-farokh-engineer
31. https://www.thecricketmonthly.com/story/326340/dancing-in-the-lion-s-den
32. https://timesofindia.indiatimes.com/sports/new-zealand-in-india-2016/top-stories/Dilip-Sardesai-The-renaissance-man-of-Indian-cricket/articleshow/12363876.cms
33. https://www.espncricinfo.com/story/_/id/23217638

34. https://youtu.be/zn5PMnuCTzw
35. https://www.mid-day.com/articles/raise-a-toast-to-karsan-ghavri/22682239
36. https://www.espncricinfo.com/story/_/id/23009475

Printed in Great Britain
by Amazon